This book is due for return on or before the last date shown below.

- 7 DEC 2011

ZOLA

CONTES
ET NOUVELLES

(1864-1874)

Choix de textes, présentation, notes, vie de Zola,
chronologie des contes et nouvelles, et bibliographie
par

François-Marie MOURAD

GF Flammarion

Pour Mathias.

© Éditions Flammarion, Paris, 2008.
ISBN : 978-2-0812-0822-3

PRÉSENTATION

Zola conteur et nouvelliste ? On ne se sera pas fait faute de lui reconnaître ce talent à la lecture des histoires emboîtées et des épisodes les plus saillants des *Rougon-Macquart* – l'idylle du Paradou dans *La Faute de l'abbé Mouret*, telle scène souterraine dans la fresque de *Germinal*, l'accident de chemin de fer ou le dénouement fantastique de *La Bête humaine...* –, sans omettre la collection de personnages extraordinaires qui s'émancipent d'un coup du flux romanesque et dont la figure simplifiée entête soudain nos imaginations : Aristide Rougon devenu Saccard, le sorcier de la finance de *La Curée* et de *L'Argent*, Goujet, dit « Gueule d'or », le bon géant amoureux de Gervaise dans *L'Assommoir*, ou Angélique, l'héroïne du *Rêve*, roman que le critique Jules Lemaitre qualifiait, ironiquement il est vrai, de « conte bleu » étrangement advenu après tant de « contes noirs [1] ».

Mais, plus précisément, Zola a pratiqué, à côté du roman, les genres narratifs brefs, à une époque où triomphaient, au terme d'une longue évolution [2], toutes les formes, subtiles ou triviales, du récit écrit. La plupart des grands auteurs du XIXe siècle se sont illustrés dans ce qu'il est convenu d'appeler le conte ou la nouvelle : Musset, Balzac, Dumas, Nerval,

---

1. Article paru le 27 octobre 1888 dans *La Revue bleue*.
2. Sur l'histoire du conte et de la nouvelle, voir la bibliographie en fin de volume, et en particulier René Godenne, *La Nouvelle française*, PUF, 1974.

George Sand... et Zola, après Flaubert et avant
Maupassant. S'il n'a pas fait du récit bref, comme ce
dernier, une triomphale exclusivité, on sera peut-être
surpris d'apprendre qu'il s'y est adonné avec
constance. De la moitié d'une centaine de textes
publiés dans les journaux, essentiellement entre
1860 et 1880, il composera même la matière de cinq
livres : *Contes à Ninon* (Hetzel et Lacroix, 1864),
Esquisses parisiennes (Achille Faure, 1866), *Nouveaux
Contes à Ninon* (Charpentier, 1874), *Le Capitaine
Burle* (Charpentier, 1882) et *Naïs Micoulin* (Charpentier, 1884). Et le recueil collectif des *Soirées de
Médan* (Charpentier, 1880), composé de six nouvelles, reste un ostensible jalon dans l'histoire du
naturalisme. C'est dire l'importance que revêtait
pour Zola cette partie de son œuvre, qui obéit pourtant à une logique spécifique, celle de la disconti-
nuité, où l'on n'attend généralement pas un auteur
réputé pour ses entreprises massives et de grande
envergure.

Littérature et journalisme

La distinction entre le conte et la nouvelle,
aujourd'hui encore, n'est pas rigoureuse et les raffine-
ments taxonomiques de la critique savante ne doivent
pas faire oublier que derrière cette répartition synony-
mique existaient au XIXe siècle d'autres opportunes
désignations, dont les auteurs et les directeurs de
journaux faisaient un assez large usage : ce que nous
appelons conte ou nouvelle était ainsi un *croquis*, une
esquisse, une *causerie*, un *souvenir*, en fait une *chronique*... toujours dans les dimensions d'un article
étroitement calibré. Le succès du récit bref au
XIXe siècle est en effet indissociable du développement considérable de la presse à grand tirage, de ses
rubriques et du chassé-croisé entre l'offre exercée en
direction d'un public de plus en plus nombreux
et composite et la demande de celui-ci. Dans un

portrait-carte[1] non publié d'avril 1865, lui-même
aujourd'hui classé dans les *Contes et nouvelles*[2] de
l'auteur, Zola a évoqué l'insaisissable représentant
de cette foule avide et impatiente, le lecteur du *Petit
Journal* : « homme et femme, enfant et vieillard, beau
et laid, riche et pauvre. Il a la grâce modeste de la
jeune fille et la douce austérité de la mère, la turbulence de l'adolescent et la gravité de l'homme fait ;
il porte la jupe d'indienne et la jupe de soie, la blouse
bleue et l'habit noir ; il habite chaque étage, le premier et le cinquième, et vit dans la pauvreté et dans
le luxe » ; ce protée dit au journaliste, qu'il considère
comme « un de ses enfants » : « Tu sais ce qu'il me
faut pour vivre et pour me tenir en bonne santé :
une ou deux heures de distraction chaque soir, la
lecture d'un journal où je trouve les événements du
jour et une suite de récits intéressants et variés[3]. »
Telles sont les exigences, démocratiques mais impé-
rieuses, des nouveaux consommateurs d'une presse
dont il est attendu qu'elle présente et invente, sous
une forme attractive, les nouvelles quotidiennes. *Le
Petit Journal*, créé avec succès par Moïse Millaud en
1863[4], a marqué le développement de ce journalisme littéraire, au sein d'un espace de communica-
tion d'autant plus ouvert à toutes les formes de
fiction que la vigilante censure impériale interdisait
d'aborder la politique autrement que par le biais de
l'allusion, de la transposition, de la satire et de l'ironie. Le grand critique Sainte-Beuve avait pressenti

---

1. Le terme est emprunté au vocabulaire de la photographie de
l'époque. Il désigne un portrait au format de la carte à jouer, qui
remportait alors un grand succès.

2. *Le Lecteur du Petit Journal*, in Zola, *Contes et nouvelles*,
éd. Roger Ripoll, Gallimard, « Bibliothèque de la Pléiade », 1976,
p. 267-269. Nous nous inspirerons souvent de cette édition, qui
fait référence.

3. *Ibid.*, p. 267-268.

4. Vendu 5 centimes (un sou, soit trois fois moins que les journaux de la « grande presse »), ce qui le met à la portée de toutes
les bourses, *Le Petit Journal*, qui suscita des émules, connut de
très forts tirages, jusqu'à un million d'exemplaires en 1892.

la montée en puissance de la « littérature industrielle [1] », mais, ce qui frappe, avec le recul du temps,
c'est plutôt l'extraordinaire malléabilité dans les
genres et les talents qu'a entraînée l'éclosion soudaine
de la presse littéraire au moment où Zola faisait ses
premiers pas d'homme de lettres. Le contexte et une
trajectoire sociale contrariée [2] l'obligeront à devenir
journaliste à la mode de ce temps [3], autrement dit
publiciste, c'est-à-dire « un polygraphe, à l'aise dans
les styles d'écriture les plus variés, attentif aux exigences de son public, sachant les maîtriser et jouer
avec elles [4] ». Sur le comptoir de la marchandise littéraire bon marché, dans les quatre pages directement
accessibles des magazines qui pullulaient pour s'attirer les faveurs d'un toujours plus vaste public, Zola
placera de nombreux textes, à l'identité générique
peu claire, parce que le mot d'ordre était alors
l'adaptation aux goûts changeants d'un public versa-
tile et curieux. Dans une analyse restée longtemps
inédite, une *Lettre d'un curieux* justement, composée
au printemps 1865 et destinée au rédacteur en chef
de *L'Avenir national*, Zola donne des gages à son
éventuel employeur en lui indiquant qu'il a bien
cerné la demande de l'auditoire et l'évolution socio-
culturelle en cours : « les lecteurs sont insatiables ;
la fièvre qui les pousse à apprendre les événements
importants dans l'art, la science et la politique, ne

---

1. « De la littérature industrielle », *Revue des Deux Mondes*,
1er septembre 1839. L'expression « journalisme littéraire » est
aussi de Sainte-Beuve.
2. Voir la « Vie de Zola » en fin de volume. Zola, à la fin de ses
études secondaires, ne parvient pas à décrocher son baccalauréat.
Sans ce précieux sésame qui lui aurait permis d'entreprendre des
études supérieures ou de trouver tout de suite une place dans
l'administration, il se lance dans l'écriture alimentaire.
3. Marc Martin rappelle qu'à cette époque le mot « journaliste »
ne renvoie pas à un statut bien défini et parle d'« un agrégat incon-
stitué d'auteurs et de rédacteurs » : « Journalistes parisiens et noto-
riété (vers 1830-1870). Pour une histoire sociale du journalisme »,
Revue historique, n° 539, juillet-septembre 1981.
4. Alain Pagès, *La Bataille littéraire. Essai sur la réception du
naturalisme à l'époque de Germinal*, Librairie Séguier, 1989, p. 9.

leur permet pas d'ignorer les plus minces détails, les petits faits, les cancans, la chronique en un mot de la ville et des campagnes. Ils veulent connaître le côté pittoresque de chaque chose, être renseignés sur la physionomie de Paris en toutes saisons, pénétrer dans l'intimité des hommes et des faits du jour. Ils demandent un curieux plus curieux que les autres, un homme indiscret qui consente à écouter aux portes et à dire tout ce qu'il sait, tout ce qu'il pense [1] ». Confronté au chapelet de courts textes qui figurent dans ce volume, le lecteur ne devra pas oublier qu'ils sont pour une part étroitement corrélés à l'actualité mouvante qui prolifère dans les marges de la littérature instituée. Entre les échos et les comptes rendus, dans les chroniques qui lui seront confiées, Zola, comme nombre de ses confrères, a alterné le récit factuel et le récit d'imagination. Il a indifféremment rapporté et inventé des *nouvelles*, au sein de rubriques ouvertes aux variations de l'anecdote, du fait divers et de la petite histoire, du réel à la (courte) fiction.

De la narration à la nouvelle

Dans sa jeunesse, Zola, comme tant d'autres, était poète. Mais la prose avait aussi ses faveurs et certains de ses tout premiers essais littéraires sont à classer dans le récit bref. Ses « narrations » scolaires, conformes à l'esprit d'instructions officielles assez suggestives [2], le montrent déjà fort habile dans le

---

1. *Lettres d'un curieux*, in *Œuvres complètes* d'Émile Zola, éd. Henri Mitterand, Cercle du Livre précieux, 1966-1970 (édition désormais désignée par l'abréviation *OC*), t. XIII, p. 44.

2. Le règlement d'études des lycées, établi par l'arrêté du 30 août 1852, imposait pour chaque niveau des exercices de rédaction littéraire, selon une progression devant conduire l'élève des genres les plus simples, « récits et lettres d'un genre simple » (en troisième), à la composition de discours fictifs (classe de rhétorique), en passant, pour la classe de seconde, à des « récits, lettres, descriptions de divers genres ».

traitement des sujets monodiques. Comme l'a indiqué Henri Mitterand, « elles attestent une grande facilité de rédaction, et un grand bonheur d'invention narrative, de construction du récit, et de détails concrets. Elles sont toutes très lestement enlevées et se lisent comme de petites nouvelles [1] ». Le *Retour d'Anacharsis dans sa patrie*, *Le Baptême d'un esclave romain* ou une conversation entre Don Quichotte et Sancho Pança sur le point de partir en campagne [2] manifestent en particulier, au-delà d'une aptitude avérée à l'assimilation des schèmes formels et culturels, une sensibilité compassionnelle qui sera l'un des traits les plus durables de la création zolienne. N'oublions pas qu'il présentera ses *Contes à Ninon* comme « de belles histoires, leçons de charité et de sagesse » (p. 44).

À côté des copies retrouvées, les archives familiales exhument d'autres *juvenilia*, par lesquelles l'élève relance *per se* le plaisir des « rédactions » lycéennes ; encore des nouvelles donc, qui préfigurent, comme *Le Chien reconnaissant* ou un ironique *Convoi funèbre*, un ton, des personnages et des motifs que l'on retrouve dans la plupart des textes rassemblés dans ce volume. À quinze ou seize ans, Zola sait déjà trousser un récit, camper un décor, croquer des personnages de premier et de second plan, conduire une action jusqu'à son dénouement, attendu ou inattendu. Il est curieux que l'on n'ait jamais vraiment pensé mettre en relation la tradition pédagogique d'entraînement à l'écriture fictionnelle brève et le triomphe de la nouvelle dans la deuxième moitié du XIXe siècle.

La plupart des textes repris dans le recueil publié chez Hetzel et Lacroix en novembre 1864 ont en fait été écrits entre 1859 et 1864, pendant ce qu'il est convenu d'appeler la « bohème » de Zola, c'est-à-dire

---

1. Henri Mitterand, *Zola*, t. I : *Sous le regard d'Olympia. 1840-1871*, Fayard, 1999, p. 122.
2. On trouvera ces textes dans la section « Documents » de la biographie d'Henri Mitterand (*ibid.*, t. I, p. 844-886).

la période incertaine de son adolescence qui a précédé les choix décisifs de l'âge adulte. Ses biographes ont rappelé un certain nombre d'événements et de ruptures existentielles qui devaient accentuer chez le jeune homme la prédisposition à la mélancolie et à la rêverie compensatoire. Orphelin d'un père précocement disparu, affecté par les menées processives d'une mère spoliée par des aigrefins, déraciné géographiquement, en situation de déclassement social après son échec au baccalauréat, il a déjà fait le choix de l'écriture, qui offre au moins le bénéfice, pour la lutte vitale, des triomphes intérieurs. Il multiplie donc les projets et les manuscrits, rédige des milliers de vers, persévère dans les textes en prose, les nouvelles en particulier, dont les titres figurent sur une liste des manuscrits perdus [1] : *Une douzaine de boîtes d'allumettes* (vingt pages), *Un corps sans âme* (huit feuillets) et *Les Grisettes de Provence,* un texte également disparu mais sur lequel nous disposons par chance d'un témoignage significatif dans une lettre datée du 29 décembre 1859 adressée à l'ami aixois, Jean-Baptistin Baille, qui fut son condisciple au collège d'Aix : « J'ai cependant achevé *Les Grisettes de Provence* ; j'ai ressenti comme un certain plaisir en racontant ces folies. Mais je suis loin d'être content de mon rêve : la matière était excessivement pénible ; les événements couraient les uns après les autres, il n'y avait pas de nœud, pas de dénouement. De plus, cela manquait de dignité et de moralité ; nos rôles étaient aussi bien loin d'être des rôles de héros de roman. Je me suis donc contenté de dire les faits tels qu'ils se sont passés, faisant le plus court possible, retranchant certains détails inutiles et n'altérant la vérité que pour les événements tout à fait insignifiants. J'ai composé ainsi une espèce de nouvelle d'un intérêt médiocre pour les indifférents ;

---

1. Henri Mitterand, « Les manuscrits perdus d'Émile Zola », *Les Cahiers naturalistes,* n° 39, 1970, p. 83-90 ; et *Zola, op. cit.,* t. I, p. 827-833.

tu comprends qu'il ne sera pas facile de placer cela,
mais cependant je ne désespère pas [1]. » On ne peut
mieux évoquer la tâche lucide à laquelle se livre alors
le jeune auteur pour épurer ses textes d'une compo-
sante subjective spontanée et envahissante. Il lui faut
traiter dans une perspective quasi aristotélicienne
des rubriques bien aperçues – l'intrigue, les personnages, le dénouement –, et transposer une matière
brute, autobiographique et encombrante. Zola,
remarquons-le, s'avance avec modestie mais clair-
voyance dans le chemin de la fiction. Nous avons
montré par ailleurs qu'il s'engageait simultanément
dans une précoce critique des formes et des œuvres,
une démarche d'analyse réflexive qui le prédisposait
à maîtriser très tôt les « fondamentaux » de la création [2]. Quand on sait que l'économie de la nouvelle
s'oriente, par des effets de concentration et de
cadrage, vers une pure narrativité, on comprendra
l'importance des premières incursions zoliennes
dans l'univers du récit, et l'on prendra la mesure de
ses rapides progrès.

Contes à Ninon

La date de parution du premier ouvrage publié par
Zola, 1864, ne doit pas faire illusion. C'est bien d'un
terminus ad quem qu'il s'agit et, comme l'indique la
préface du 1er octobre – une préface est toujours une
postface –, d'une indispensable mise à distance,

---

1. Zola, *Correspondance*, t. I : *1858-1867*, Presses de l'université
de Montréal/Éditions du CNRS, 1978, p. 117.
2. François-Marie Mourad, *Zola critique littéraire*, Honoré
Champion, « Romantisme et modernités », 2003. Voir la première
partie, en particulier le chapitre I, « Une vocation précoce », p. 25-
54. Entre 1859 et 1862, Zola rédige, à l'intention de ses amis
Baille et Cézanne – mais surtout pour lui-même –, de nombreuses
lettres qui sont des analyses critiques ambitieuses et sophistiquées
d'œuvres littéraires contemporaines, de Victor Hugo, George
Sand, Jules Michelet… Sa réflexion porte très souvent sur les
formes et les genres.

d'une liquidation du passé (p. 41-47). Mettant en scène les oppositions spatiales et temporelles, le texte, baigné d'une nostalgie élégiaque, est la transposition littéraire du premier conflit intérieur vécu par le jeune Zola, entre le rêve et la réalité. Il ne perçoit pas encore tout à fait la rudesse salvatrice des choix porteurs d'avenir, mais la « satire pleine de larmes », les « besoins cuisants de réalité » sont manifestement venus contrebalancer le trop doucereux « cantique ». Le préfacier, certes en exagérant un peu l'humilité préventive, brouille et dilue les repères génériques : il évoque de « libres récits » de son jeune âge, des « songes », de « belles histoires », de « longs bavardages », des « histoires étranges, filles du rêve », des « récits décousus, où l'invention s'en allait au hasard », des « feuilles volantes », des confessions voilées, des berceuses... Comme l'a fait remarquer David Baguley, l'un des rares commentateurs à s'être penché un peu sérieusement sur ces récits paradoxalement mis à distance par leur auteur au moment où il les publiait, « les vrais *Contes à Ninon* n'ont pas de réelle existence textuelle ; ils appartiennent au temps irrévocablement perdu des crépuscules provençaux ; comme les fleurs, les filles et les fées, ils meurent transplantés hors de l'imagination qui les a conçus. Ce sont, paradoxalement, des contes *incontables* ; ou plutôt, ce sont des contes, rebelles au langage écrit, fixé, qui restent ainsi fidèles aux conditions du genre oral, car arrêter définitivement (par l'écrit) la forme vivante du conte (oral), c'est contribuer à son épuisement [1] ».

En prenant le lecteur à témoin de cette inconsistance et de cette relégation, en l'incluant dans cette reprise, Zola reconfigure son horizon d'attente et l'invite à suspendre son jugement de valeur. Comment pourrait-on en vouloir à un auteur déterminé

---

1. David Baguley, « Narcisse conteur : sur les contes de fées de Zola », *Revue de l'université d'Ottawa*, vol. 48, n° 4, octobre-décembre 1978, p. 393.

à faire l'inventaire de ses premiers émois et qui
cherche à mettre un peu d'ordre dans la bigarrure
de sa vie animique, pour reprendre une expression
employée par Freud au début du *Malaise dans la
culture*[1] ? « Vivre, c'est survivre à un enfant mort »,
dit Jean Genet, et la préface des *Contes à Ninon* n'est
pas seulement un seuil[2], à analyser froidement
comme un dispositif rhétorique, elle est aussi à sa
façon un précieux témoignage autobiographique, et
une page des « mémoires d'une âme[3] » que l'auteur
n'a jamais voulu, à partir de la date de publication
de son premier livre, placer ailleurs que dans la fiction et ses marges. On comprend donc que dix ans
après, en 1874, il commémore cet instant clé dans
la préface aux *Nouveaux Contes à Ninon*, que nous
avons également reproduite (p.194-201) pour signa-
ler qu'en tête d'un recueil de textes beaucoup plus
réalistes, il éprouve de nouveau la nécessité de
rendre un hommage à la muse de sa jeunesse, à la
première figure, au sein de son œuvre, de la rétro-
spection mélancolique.

La lettre-confession de 1864 met aussi en scène
un scénario romantique d'entrée dans l'écriture.
Ninon, préfigurée par la Nina de ses poèmes, est la
sylphide de Zola, sa « fée amoureuse », et, comme
chez Chateaubriand, qui la tenait de Rousseau, elle
incarne à la fois l'inspiration venue de la nature et
l'idéalisation d'un désir érotique ambivalent. Com-
blant l'absence de femmes réelles, elle est un « rêve
romantique[4] ». Zola, contrairement à ce que la tradition retient pour rendre compte du naturalisme, est
habité par les grands schèmes du romantisme de sa

1. Sigmund Freud, *Le Malaise dans la culture*, PUF, 1995
[1re éd. 1930].
2. Voir Gérard Genette, *Seuils*, Seuil, « Points Essais », 2002.
3. Victor Hugo, Préface des *Contemplations*.
4. Voir Jean-Marie Roulin, « La sylphide, rêve romantique »,
Romantisme, no 58, 1987, p. 23-38.

jeunesse[1] ; il hérite de Musset, de George Sand et de
Michelet. En 1864, cette influence est parfaitement
assumée par un jeune auteur qui est aussi un lecteur
passionné des *Nuits*, de *Jacques*, de *La Femme*, et par
ailleurs soucieux de s'inscrire correctement, en tant
que débutant, dans le champ littéraire de cette première modernité. Le choix des titres-prénoms[2] – son
premier roman en 1865 sera une *Confession de
Claude* – est un indice parmi d'autres de cette filia-
tion. *Ninon* vient du poème-dédicace adressé en
1835 par Musset à Caroline Jaubert, et qu'il a
ensuite inséré dans sa nouvelle *Emmeline*, parue en
1837 dans la *Revue des Deux Mondes*. Le personnage
féminin, la destinataire... et la lectrice sont censés se
reconnaître dans le prénom de celle qui ne dit ni oui
ni non, Ninon. Zola, qui était avant tout un ardent
lecteur de Musset[3] et qui projetait des *Contes de mai*,
devait se laisser séduire à la fois par l'ironie envers
les personnages de la nouvelle, par la rhétorique de
l'interpellation et par ce qu'il y avait, comme le dit
le narrateur d'*Emmeline*, « d'un peu exagéré et d'*un
peu plus que vrai* » dans les vers de la déclaration *À
Ninon*[4]. L'humour – et l'amour ! – blessé, l'émotion
et le badinage qui caractérisent les nouvelles de
Musset[5] se retrouvent ici et là dans un certain

1. Voir notre article sur « Zola et le romantisme », *L'École des
lettres*, numéro spécial : *Aspects du romantisme*, nº 12-14, 2004,
p. 113-126.

2. George Sand s'en était fait une spécialité, avec *Indiana,
Valentine, Lélia* ou encore *Jacques*, romans que Zola avait lus avec
ferveur.

3. Voir « Alfred de Musset », dans les *Documents littéraires*
(1881) consacrés aux écrivains romantiques, *OC*, t. XII, p. 327-
351.

4. Alfred de Musset, *Nouvelles*, éd. Sylvain Ledda, La Chasse
au Snark, 2002, p. 89. Ninon apparaît également dans la comédie
À quoi rêvent les jeunes filles (1833) : Ninon et Ninette sont deux
sœurs jumelles adolescentes qui rêvent d'amour idéal tout en
s'adonnant aux jeux malicieux de la séduction.

5. Parues en 1841 en deux volumes chez Charpentier, ces nou-
velles ont connu un succès qui ne s'est pas démenti jusqu'au
XXᵉ siècle. Voir Simon Jeune, *Musset et sa fortune littéraire*,
Bordeaux, Ducros, 1970.

nombre de nouvelles du débutant, notamment *Le Carnet de danse* et *L'Amour sous les toits* [1].

Au-delà de cette identification précise, la greffe des influences réelles ou postulées pour les *Contes à Ninon* semble avoir à peu près réussi, si l'on en juge par les réactions généralement positives de la critique au moment de la parution du premier livre de Zola. Les annonces rédigées par l'auteur ont donné le *la* aux journalistes : « L'auteur, M. Émile Zola, est en littérature de la famille des esprits libres, des tempéraments passionnés et finement railleurs : il procède de Mérimée, Voltaire, Alfred de Musset, Nodier, Murger, Heine. C'est un conteur qui cause avec sa muse selon son caprice du moment ; de là ce livre étrange, où chaque récit naît d'une inspiration particulière. Le succès des *Contes à Ninon* est assuré auprès de tous les gens de goût [2]. »

Avec le recul, et sans verser dans la seule lecture téléologique, forcément réductrice, on sera peut-être sensible effectivement à l'étrangeté et à la diversité surprenante des formes et des modèles mis en œuvre par Zola dans ces premiers essais narratifs. Le futur pourfendeur de l'imagination, l'écrivain à système, le naturaliste sulfureux est, au début des années 1860, un fantaisiste, un élève doué en quête de bons points, attentif aux leçons de ses maîtres, et dont l'inspiration est à la fois classique et romantique. Dans son premier recueil de contes, puisqu'il en tient pour cette dénomination qui plonge loin dans la tradition littéraire [3], se succèdent ainsi le conte

---

1. *Contes et nouvelles*, éd. Roger Ripoll, *op. cit.*, p. 21-32 et 250-252.

2. Voir les « Textes rédigés pour le lancement des *Contes à Ninon* » dans *Contes et nouvelles*, éd. Roger Ripoll, *ibid.*, p. 1240-1246.

3. Les dictionnaires du XIXe siècle s'accordent sur la définition du conte, qui se voit régulièrement associé au fabuleux, au merveilleux et à l'imaginaire, tandis qu'ils hésitent sur celle de la nouvelle, qui est souvent assimilée au roman court ou au conte. Ainsi le terme de conte est-il au XIXe siècle plus englobant que celui de nouvelle. C'est plutôt le contraire aujourd'hui.

merveilleux (*La Fée amoureuse*, *Simplice*), le conte
philosophique (*Aventures du grand Sidoine et du petit
Médéric*), le conte moral (*Le Carnet de danse*), l'apologue (*Sœur-des-Pauvres*), mais également le poème
en prose narratif (*Celle qui m'aime*) ou instantanéiste
(*La Neige*), de sorte que « toute la gamme depuis
Voltaire et Rousseau jusqu'à Baudelaire, en passant
par Nodier et le conte de fées du romantisme, est
représentée[1] ». Cette constante intertextualité et
cette inscription revendiquée dans la tradition littéraire relèvent certes de la stratégie d'apprentissage,
mais c'est d'appropriation, d'innutrition qu'il
convient de parler, plutôt que d'imitation, de pas-
tiche ou de jeu. Le *tempérament*, fort prisé par le
théoricien, éclate à chaque page, comme le
montrent, chacun à sa façon et à des degrés divers,
deux textes quasiment contemporains[2] et pourtant
très différents, *Simplice* et *Celle qui m'aime*.

Simplice *ou le récit merveilleux*

Simplice est *a priori* aisément reconnaissable
comme un conte merveilleux, conforme à la définition apportée par Nodier, pour qui « le roman proprement dit est le récit d'une suite d'aventures
fictives, propres à intéresser ou à instruire. S'il se
borne à la narration d'un seul événement, on
l'appelle nouvelle. Si cet événement y introduit un
merveilleux emprunté des croyances populaires, on

---

1. Friedrich Wolfzettel, « Les *Contes à Ninon*, ou le problème
de la légitimité du romantisme », *Les Cahiers naturalistes*, n° 62,
1988, p. 185.
2. Probablement rédigé en 1862, *Simplice* est paru le
25 octobre 1863 dans *La Revue du mois* (Lille) et en octobre 1864
dans la *Nouvelle Revue de Paris*. *Celle qui m'aime*, écrit en 1863, a
connu une première publication en novembre 1864 dans
L'Entracte. Pour ses *Contes à Ninon*, Zola intercale assez logique-
ment entre les deux textes la fantaisie du *Carnet de danse*. On
passe ainsi du merveilleux le plus lointain du conte de fées au
spectacle contemporain.

l'appelle conte [1] ». Le lieu vague et inaccessible, le
roi, la reine et leur fils, la forêt qui parle, l'ondine,
les métamorphoses magiques nous projettent dans
l'univers familier des contes de l'enfance. Mais certains aspects, certains détails de l'aventure altèrent
l'impersonnalité du récit. L'ironie affecte d'emblée
les portraits des personnages, le roi, la reine et ce
« niais » de Simplice, le bien nommé [2] : le gauchisse-
ment de la voix narrative biaise les clichés du genre
et met le lecteur en éveil. En revanche, cette humoristique légèreté entre en conflit avec une tonalité
plus sombre, qui annonce bien sûr le dénouement
tragique, mais fait aussi affleurer une inquiétude
sourde et laisse entrevoir des conflits internes. Avec
la créature évanescente de Fleur-des-Eaux, « fille
d'un rayon et d'une goutte de rosée » (p. 54), destinée à mourir sous les lèvres de son amant trop
humain, le « mythème » de la fille-fleur [3] refait son
apparition après *La Fée amoureuse* [4]. Associé à une
conception de la nature-refuge vers laquelle reflue le
désir contrarié, il s'agglomère à un réseau d'images
composites – la végétation proliférante, le corps sen-
suel, le sacrifice rituel… – que les lecteurs de Zola
n'auront pas de mal à repérer dans les grandes
œuvres ultérieures, *La Fortune des Rougon*, *La Faute
de l'abbé Mouret* et bien d'autres romans du cycle des
Rougon-Macquart, jusqu'au *Docteur Pascal*. *Simplice*

---

1. Cité par Daniel Sangsue, *Le Conte et la nouvelle au XIXe siècle*,
in *Histoire littéraire de la France*, t. III : *Modernités XIXe-XXe siècle*,
volume dirigé par Patrick Berthier et Michel Jarrety, PUF, « Qua-
drige/Dicos poche », 2006, p. 92.
2. Zola a adopté ce pseudonyme pour signer ses premiers
articles, jusqu'au 7 novembre 1866 ; ce jour-là, sans doute inspiré
par la figure austère du savant Littré, il sort du cadre fantaisiste
et liquide son double : « Pour feu Simplice : Émile Zola », *OC*,
t. X, p. 217.
3. Marie Couillard, « La "fille-fleur" dans les *Contes à Ninon* et
Les Rougon-Macquart », *Revue de l'université d'Ottawa*, vol. 48,
n° 4, octobre-décembre 1978, p. 398-406.
4. *La Fée amoureuse*, in *Contes et nouvelles* de Zola, éd. Roger
Ripoll, *op. cit.*, p. 46-51.

– d'abord intitulé *Le Baiser de l'ondine* – relaie dans
la fiction l'inspiration sentimentale des premières
poésies et signale, d'une façon peut-être plus lisible,
la dette durable de Zola envers la mythographie
romantique. L'influence de Michelet, en particulier,
est sensible. Lecteur assidu de *L'Amour* (1858) et de
La Femme (1859), Zola adhère à ce premier « naturalisme » qui voudrait déculpabiliser le désir et
construire une éthique conjugale de l'amour
conforme aux grandes lois biologiques du développement de la vie. Les *Contes à Ninon* se placent ainsi
d'emblée sous le signe de la femme, de l'amante, du
paysage, de la nature féminisée. Six textes sur huit
font d'ailleurs également de cette première série un
indéniable maillon du cycle créateur antérieur aux
Rougon-Macquart, centré autour du mythe de la
femme [1]. Pour Zola, à l'instar de Michelet, la nature,
féminine, est sacrée, et « l'homme ne croît pas aisément hors de ses harmonies végétales [2] ». Mais le
double dénouement de *Simplice*, d'abord idyllique,
puis brutal, signale chez le disciple l'impossibilité
d'arracher le désir à la faute, la désillusion expiatoire
et la fin du rêve. De même sans doute le geste cruel
de « l'homme savant », qui, sans se soucier du
cadavre de Simplice, déchiquette la fleur, préfigure-
t-il les nécessaires résolutions d'un « âge de science »
épris d'« anatomie morale [3] » et de classifications.
Aussi le conte récrit-il la Chute : il met mélancoli-
quement en images la perte du sacré, de ses rites, de
ses symboles et de ses mythes. La Nature peut bien
être célébrée comme « fête immense du feuillage »
(p. 50) et se transformer pour Simplice en « salon »

---

1. Henri Mitterand évoque à juste titre un « cycle de la femme
déchue », pour désigner les premiers romans de Zola : *La Confession de Claude* (1865), *Le Vœu d'une morte* (1866), *Les Mystères de
Marseille* (1867), *Thérèse Raquin* (1867) et *Madeleine Férat* (1868).

2. Michelet, *La Femme*, Hachette, 1860, p. 5.

3. Émile Zola, « Un roman d'analyse », *Causeries littéraires*,
compte rendu des *Victimes d'amour* d'Hector Malot, *Le Figaro*,
18 décembre 1866, in *OC*, t. X, 1968, p. 704.

(p. 51), elle devient, en présence de l'homme, qui
peine à s'y intégrer, la métaphore du conflit entre
innocence et culpabilité, autour de la question
sexuelle. Le sacré s'y déploie puis s'effondre, selon
un scénario bien décrit par Paul Ricœur dans son
étude sur la « Sexualité, la merveille, l'errance,
l'énigme » : « tout le réseau de correspondances qui
a pu attacher le sexe à la vie et à la mort, à la nourriture, aux saisons, aux plantes, aux animaux et aux
dieux, tout ce réseau est devenu le grand pantin dis-
loqué de notre Désir, de notre Vision et de notre
Verbe [1] ». Le sacré cosmo-vital s'est effondré sous la
poussée du monothéisme éthique et de l'intelligence
technicienne. Voilà ce que dit le conteur, même dans
ses tout premiers textes parfois assimilés à des
bluettes sans densité et sans vigueur. Si John Lapp
a raison d'indiquer qu'« aux racines du naturalisme
germait une attitude envers la vie qui devait trouver
sa plus belle expression dans la confluence de la tradition mythopoétique et de l'expérience personnelle
de l'auteur [2] », encore convient-il de préciser que
cette « confluence » est inéluctablement contrariée.
Elle occasionne des déceptions et des remises en
cause : les modèles dont s'inspire Zola sont soumis
à un tel traitement critique et parfois sarcastique
qu'il est difficile de les isoler et vain de tenter d'en
restaurer l'intégrité originelle. Syncrétique, l'inspiration zolienne oblige à de constants questionnements.

Celle qui m'aime *ou l'épreuve du réel*

Le conflit entre l'imaginaire et le réel est au cœur
de *Celle qui m'aime*, un texte de 1863 nettement plus
singulier que tous ceux qui précèdent, et dont Paul
Alexis a signalé, dans sa biographie de Zola, qu'il est

---

1. *Esprit*, novembre 1960, repris dans *Histoire et vérité*, Seuil,
« Points », 2001, p. 227.
2. John Lapp, *Les Racines du naturalisme. Zola avant Les Rougon-Macquart*, Bordas, « Études », 1972, p. 6 (introduction).

sans doute « le plus aigu, le plus vibrant de ses premiers contes [1] ». Le mot convient-il ici ? C'est en fait
le récit d'une sorte d'errance « sur un champ de
foire » dans le faubourg parisien : le « héros », de plus
en plus désemparé, rencontre des personnages gro-
tesques, un magicien décati, « une vieille femme,
vêtue en bayadère » (p. 62), un orateur politique un
peu inquiétant, des gens du peuple grossiers et surtout une jeune prostituée qui se donne en spectacle.
Comme il illustre par une anecdote très prosaïque le
fait que la vie justement n'est pas un conte, comme
l'aventure est celle d'un narrateur intradiégétique et
qu'elle se situe dans un temps et un lieu contemporains de l'énonciation, on peut s'interroger sur le statut de ce texte à valeur de seuil dans la production
zolienne. Il est manifestement proche de l'univers
déceptif et désolant de *La Confession de Claude* et il
partage l'argument profond de ce roman autobiographique, à travers l'échec du rachat de la courtisane,
le procès des modèles littéraires du romantisme
bohème, la renonciation au lyrisme de la mansarde.
Dans *Celle qui m'aime*, Zola fait le procès des images,
en interrogeant le dispositif spéculaire du « Miroir
d'amour » (p. 61) et de la vitre de foire derrière
laquelle apparaît, comme en un tableau de Manet,
« entre deux rideaux rouges », une femme « vivement
éclairée par des quinquets » (p. 67). Le dispositif
technique déstabilise la perception, engendre l'illusion et libère les fantasmes. Rappelons qu'à peu près
au moment où il conçoit sa nouvelle, Zola construit
une théorie de la représentation qui aboutira le
18 août 1864 à un riche exposé de poétique dans
une lettre dite « sur les écrans ». Sous l'influence de
Taine et l'œil exercé par les peintres, Zola affirme
que toute perception est une transformation et une
projection : « Il y a déformation de ce qui existe. Il y
a mensonge. Peu importe que ce mensonge soit en

_____

1. Paul Alexis, *Émile Zola. Notes d'un ami*, Charpentier, 1882,
p. 57.

beau ou en laid. Je le répète, la déformation, le mensonge qui se reproduisent dans ce phénomène
d'optique, tiennent évidemment à la nature de
l'Écran [1]. » *Celle qui m'aime* transpose la réflexion sur
l'illusion et les *clichés* en généralisant la réflexivité et
la mise en abyme dans un contexte parfois hyperréaliste. Il s'agit en fait d'une confrontation impitoyable
entre les espérances romantiques et la réalité sordide, d'une liquidation du symbolique, d'autant plus
efficace qu'elle est accomplie au discours direct et à
la première personne par la victime expiatoire, une
ouvrière du textile qui serait tout droit sortie du chapitre II de l'introduction de *La Femme* de Michelet,
« non pas l'immortelle au blanc nuage de mousseline, mais une pauvre fille de la terre, vêtue
d'indienne déteinte » (p. 71). Dans sa nouvelle
– cette fois, le terme équivaut à l'anti-conte –, Zola
fait un sort à la grisette de Balzac et de Musset [2], qui
a peuplé la littérature bohème des années 1850-
1860, et qui associait les traits de la misère, de
l'insouciance, de la gaieté et de l'érotisme, le tout
masquant artistiquement une réalité effectivement
préoccupante de la condition féminine au XIXe siècle.
Ce qui rend en outre la nouvelle de Zola si judicieuse, c'est qu'elle fait aussi le procès de la voix
narrative : le personnage, assailli par le spectacle
environnant, menacé dans son intégrité morale, perd
progressivement ses repères. À l'écoute des discours
insanes de l'Ami du peuple, interpellé par les boniments de foire, coupable d'écouter la blague [3] des

---

1. Lettre à Antony Valabrègue, *Correspondance, op. cit.*, t. I,
p. 375.

2. Balzac, *La Grisette* (1831), Musset, *Frédéric et Bernerette*
(1838), *Mimi Pinson, profil de grisette* (1843).

3. Sur la « blague », voir les travaux de Nathalie Preiss, notamment *Pour de rire ! La blague au XIXe siècle ou la représentation en
question*, PUF, « Perspectives littéraires », 2002. Robert Kopp en
donne une bonne définition dans son introduction au *Journal*
des Goncourt : « La blague – qu'il ne faut pas confondre avec
l'ironie – c'est, à l'origine, le sarcasme gouailleur des faubourgs
[...], le rire méchant qui rabaisse, viole, profane. Arme du petit
peuple, elle a gagné au XIXe siècle toute société. C'est l'irrespect

passants, il vit un état de *prostitution* qui le rapproche
du narrateur du *Spleen de Paris*. La comparaison avec
les récits minimalistes de Baudelaire est frappante.
Zola a très bien pu lire *Le Vieux Saltimbanque*, dont il
semble s'inspirer pour créer l'atmosphère de foire [1],
saturée de bruits et d'odeurs de friture. Baudelairienne par le choix du *tableau parisien*, des thèmes et
des personnages, par la fascination des marges et la
remise en question des clichés idéologiques et littéraires, cette étonnante nouvelle de Zola, plutôt
méconnue, nous apparaît bien comme une tentation
de basculer dans la « modernité » littéraire. Dans une
présentation restée à l'état de manuscrit, l'auteur
évoque plus modestement une « satire amère, un
sanglot qui se déguise sous un éclat de rire ». Mais
la singularité littéraire de ce texte le déporte loin de
l'univers du conte merveilleux ; cette première « esquisse parisienne » préfigure le naturalisme naissant ;
elle témoigne d'une intense réflexion personnelle sur
les modèles en vigueur, voire d'une crise de la représentation qui va conduire l'auteur à liquider une partie de l'héritage récent et à opérer des choix
littéraires plus inventifs, conformes à ses analyses du
monde social.

Variations du récit bref

Encore à mi-chemin de cette évolution, *Sœur-des-
Pauvres*, qui raconte l'histoire édifiante d'une orpheline bienfaitrice, pourra sembler bien naïf et
inoffensif. Âgée de dix ans, maltraitée par son oncle
et sa tante, la petite fille donne un jour un sou
qu'elle a reçu en cadeau à une mendiante. Celle-ci,
en fait la Vierge Marie, lui offre en échange un

---

généralisé qui se moque de tout ce qui est grand, héroïque ou
sacré », Edmond et Jules de Goncourt, *Journal, Mémoires de la vie
littéraire*, Robert Laffont, « Bouquins », 1989, p. XXXVI.
   1. *Le Vieux Saltimbanque* est paru le 1er novembre 1861 dans
la *Revue fantaisiste* et le 27 août 1862 dans *La Presse*.

« vieux sou de cuivre jaune » (p. 80) : il s'agit d'une pièce miraculeuse qui se reproduit à l'infini. Avec la fortune qui s'amasse sans cesse, Sœur-des-Pauvres soulage toutes les misères autour d'elle. Elle finit toutefois par se débarrasser de ce sou encombrant, préférant à « cette monnaie qu'elle entassait sans grand mérite » les bottes de paille, « récompense du travail » (p. 98). Puisant aux sources du merveilleux chrétien, cet « hymne chanté à la charité » (*dixit* Zola dans une présentation manuscrite) s'inscrit également dans la veine du romantisme social ou socialisant de cette époque. L'idée première est peut-être inscrite dans la lecture suggestive de Michelet, qui déplore, dans *La Femme*, que « *l'ivresse de la charité et sa chaleur héroïque, cette ravissante passion des vierges pleines d'amour, [n'ait] jamais été dite* [1] ». Zola s'est aussi manifestement inspiré, pour ses personnages, des *Misérables* de Victor Hugo, de Cosette et des Thénardier. Le livre, publié en 1862, avait connu un succès immédiat et avait fait de Hugo le grand prophète républicain, le héraut d'un socialisme littéraire alors entendu comme un évangélisme, une grande leçon de sentiment et d'amour, un bréviaire de générosité à vocation universelle. Zola s'est également révélé très perméable, dès 1860, à une autre « charité militante », celle de George Sand [2], qui entrait en résonance avec une sensibilité à la souffrance exacerbée par l'expérience de la pauvreté : « Je ne puis songer à la souffrance de tout ce qui vit, sans me sentir au cœur je ne sais quelle immense miséricorde et quel besoin de vengeance », écrit-il en décembre 1863 dans un article du *Journal populaire de Lille* [3]. Le « besoin de vengeance » sera plus nettement exprimé ultérieurement, dans *Le*

1. Michelet, *La Femme*, Flammarion, « Champs », p. 166.
2. Lettre du 2 mai 1860 à Jean-Baptistin Baille, in Zola, *Correspondance, op. cit.*, t. I, p. 156.
3. *OC*, t. X, p. 306.

Chômage (p. 225) ou *Comment on meurt*[1], pour rester dans l'ordre de la nouvelle, et l'on s'étonne que le récit *Sœur-des-pauvres* ait été perçu par Louis Hachette comme l'œuvre d'un « révolté[2] ». L'intrigue ne dit rien des mécanismes de l'injustice sociale. Elle se concentre sur la figure de la petite sainte et sur les allers-retours de la piété et de la pitié, qui semblent gommer toute velléité de revendication. Comme cette nouvelle fut d'abord destinée à des enfants, Zola, conformément à la doctrine de son temps, exalte à destination de ce public réputé vulnérable les bons sentiments et les idées les plus simples, enchâssés dans les images d'Épinal de la tradition pédagogique chrétienne. Il profite seulement de l'occasion pour greffer sur le conte un petit traité d'économie idéale, qui témoigne de la hantise de l'accumulation, de la spéculation, et vise à briser le cercle monétariste, à pallier les méfaits de la rente. Comme plus tard Pauline dans *La Joie de vivre*, la toute jeune fille devient l'incarnation de la valeur travail dans un récit qui peut aussi être lu comme une parabole de l'attitude à adopter face au legs romantique – une richesse trop facile qu'il convient de sublimer par l'effort positif.

L'hypothèse est d'autant plus recevable que Zola, au moment où il s'engage dans l'édition et le journalisme militant, se livre à un double travail d'analyse critique et d'affirmation personnelle. Dans la plupart des textes postérieurs à l'année 1865, on voit apparaître plus nettement à la fois un style et des convictions. La vocation polémique s'aiguise au fil des mois et entre en négociation, parfois en contradiction, avec les obligations de la chronique amusante,

---

1. Voir le second volume de cette édition : Zola, *Contes et nouvelles (1875-1899)*, éd. François-Marie Mourad, GF-Flammarion, 2008, p. 77.
2. Paul Alexis a raconté l'anecdote de la genèse et de la réception de cette nouvelle dans *Émile Zola. Notes d'un ami, op. cit.*, p. 61. Voir aussi *infra*, p. 75, note 1.

qui impose ses formes, ses thèmes et un ton, celui
de la familiarité, comme avatar de la conversation de
salon ou de café, du bavardage, avec ses commen-
taires amusés ou apitoyés, sa fantaisie et son recours
à la blague : « la chronique, en bonne fille, se fait un
devoir de nous contenter pleinement : du 1er janvier
au 31 décembre, elle a ses nouvelles toutes prêtes,
rangées méthodiquement dans de petits casiers ; il y
a, pour ne citer que les articles d'un intérêt piquant
et imprévu, les articles sur les étrennes, les œufs de
Pâques, les premiers beaux jours, le 15 août, les
huîtres et les marrons. Chaque époque a son étonnement, sa citation obligée, sa plaisanterie fossile. Puis,
comme le Ciel est bon et que la France est féconde,
il naît tous les mois dans ce Paris bête et sublime
quelque événement, éclat de rire ou sanglot, dont
on rit ou dont on pleure pendant trente jours ; la
chronique, qui est toujours affamée, mâche et
remâche le fait, s'en donne une véritable indigestion,
ne l'abandonne que quand le public se fâche de ce
mets éternel [1] ». Le rédacteur du *Petit Journal* ou du
Figaro, qu'il pratique l'écho mondain, le compte
rendu critique ou l'anecdote, tous ces *varia* qui
entrent dans le format de la chronique quotidienne,
doit donc créer la connivence avec son lectorat, donner l'impression que tout le monde vit dans le même
espace social, assiste aux mêmes spectacles, fréquente les mêmes lieux. Zola a parfaitement aperçu,
rappelons-le, les traits essentiels du paysage mental
du grand public. Il choisit certes des sujets et des
personnages qui l'engagent plus sérieusement sur la
voie de la contestation sociale et d'un journalisme de
combat à la façon d'un Jules Vallès, mais, à partir de
1865, date à laquelle pourtant sa production s'accé-
lère, ses textes ne peuvent guère prétendre aller au-
delà de l'*esquisse*, comme la série parue à la suite du
Vœu d'une morte. Les « nouvelles » de la décennie suivante, généralement courtes, voire très courtes,

---

1. *Lettres d'un curieux*, in *OC*, t. XIII, p. 44.

déclinent donc, souvent avec brio, les caractéris-
tiques d'ensemble de cette fameuse chronique dont
les traits essentiels ont été forgés par le journalisme
sous le second Empire.

Dans Paris

Zola a été un paysan de Paris. Provincial profondément marqué par les paysages méditerranéens de son
enfance et de son adolescence, ce déraciné a été forte-
ment saisi par le spectacle de la capitale, qu'il a décou-
verte au moment où elle se transformait radicalement
et basculait dans la modernité. Les *Mystères* du Paris
ancien, de Mercier et de Restif de La Bretonne,
qu'Eugène Sue remuait encore en 1843, se dissipaient, et laissaient la place aux *Comptes fantastiques
d'Haussmann* [1]. Mais, comme dans les *Tableaux parisiens* ou *Le Spleen de Paris* de Baudelaire, l'ancien per-
siste sous le nouveau, et le contraste des deux réalités,
celle que l'on veut faire disparaître et celle qui
s'exhibe, focalise l'intérêt de ces observateurs avisés
de la réalité sociale que sont les écrivains. Comme
Baudelaire, comme Vallès – qui a écrit des « chroniques parisiennes » et dirigé le journal *La Rue* –,
comme tant d'autres de ses contemporains, Zola
hume la poésie de la ville, observe son « bric-à-brac
confus [2] » et ses « vieilles ferrailles », ses témoins-
vestiges : *Les Vieilles aux yeux bleus* [3], *Le Centenaire*

---

1. C'est le titre d'une série d'articles très polémiques publiés
par Jules Ferry dans *Le Temps*, de décembre 1867 à mai 1868.

2. Baudelaire, « Le Cygne » (*Tableaux parisiens*), *Les Fleurs du
Mal*, LXXXIX, in *Œuvres complètes*, éd. Claude Pichois, Gallimard, « Bibliothèque de la Pléiade », 1975, t. I, p. 86.

3. Cette « esquisse parisienne » de Zola, écrite en octobre 1865,
est directement inspirée des *Petites Vieilles* de Baudelaire. Voir
W.T. Bandy, « Trois études baudelairiennes. III. Zola imitateur
de Baudelaire », *Revue d'histoire littéraire de la France*, avril-juin
1953, p. 210-212.

(p. 171) ; il fréquente ses squares, ses jardins et ses *Bals publics* [1].

Comme l'a déjà signalé Henri Mitterand, qui a regroupé nombre de ces textes sous le titre significatif *Dans Paris* [2], « tous ont pour décor le paysage de Paris ou de sa banlieue, saisi en divers quartiers et en diverses saisons. Tous enfin échappent à la pure et simple chronique par leur appel à la fiction, au dialogue, à la description poétique, à la mise en scène burlesque ou fabuleuse, et, dans les cas les plus nets, à une construction narrative caractérisée [3] ». On mesure le chemin parcouru depuis les *Contes à Ninon*. Zola ne se réfugie plus dans ses rêves, il devient un arpenteur du « monde réel ». Cet observateur-né apprend à regarder : les « choses vues » supplantent les choses lues. Les nouvelles et « esquisses parisiennes » de 1865-1875, y compris certains *Nouveaux Contes à Ninon*, précèdent et nourrissent à leur manière les « carnets d'enquête [4] » dans lesquels Zola puisera la matière de ses descriptions et tableaux des *Rougon-Macquart*. Ces textes divers occupent une position intermédiaire, à mi-chemin de la note brute et de la fiction plus aboutie. Nous signalons d'ailleurs en note les rapprochements qui s'imposent entre l'univers de la nouvelle et celui du roman, à propos de *Villégiature*, de *Mon voisin Jacques*, du *Forgeron*, l'exemple le plus significatif restant, dans ce volume, celui du *Mariage d'amour*, immédiatement conçu par Zola comme le canevas d'un « drame puissant », à savoir *Thérèse Raquin*, qui paraîtra un an à peine après la nouvelle. Rares sont les textes qui ne recèlent pas, au moins en

---

1. *Vieilles Ferrailles, Les Squares, Les Bals publics* in Zola, *Contes et nouvelles*, éd. Roger Ripoll, *op. cit.*, respectivement p. 372-377, 319-322 et 264-266.

2. *OC*, t. IX, p. 233-338. *Dans Paris* est le titre donné par Zola à la chronique de *L'Événement* puis du *Figaro* dans lesquelles ont paru, en 1866 et 1867, ses nouvelles « parisiennes ».

3. *Ibid.*, p. 234.

4. Émile Zola, *Carnets d'enquêtes. Une ethnographie inédite de la France*, textes établis et présentés par Henri Mitterand (d'après les collections de la BNF), Plon, 1986 ; réédd. Pocket, 1991.

germe, des possibles narratifs. À mesure qu'il s'acheminait vers sa vocation dominante, Zola devenait plus attentif à cette ressource et à la « fictionnalisation », comme l'indiquent certains de ses titres, *Les Disparitions mystérieuses* ou *Histoire d'un fou*. Les croquis et les poèmes en prose ne sont pas absents de cette série : *La Neige*, par exemple, est un tableau émerveillé du Paris hivernal, et la transposition littéraire des œuvres réalisées par les peintres, mais, placée au centre de l'évocation, la Ville a déjà le statut de personnage essentiel que lui conférera régulièrement Zola dans ses romans ultérieurs, jusqu'à sa consécration à l'apogée du cycle des *Trois Villes* en 1898 [1].

Happé par la vie un peu fébrile de la métropole en travaux et en extension, carnet à la main, le reporter n'est jamais neutre ou passif devant les sujets que lui offre le manuscrit en train de s'écrire de la capitale. De toute façon, deux ou trois exigences rédactionnelles s'imposent à lui, s'il veut capter l'attention distraite de son lecteur. L'humour est ainsi l'un des traits essentiels de cette littérature du quotidien. Par le décalage qu'il implique, le cours rapide et inconscient de l'actualité est soudain interrompu. Elle est mise à distance et réinterprétée. Bon nombre des textes que nous avons retenus appartiennent à cette catégorie de la nouvelle humoristique. Zola, contrairement à ce qu'on pense, pratiquait l'humour et savait rire [2], mais il prisait le comique grave et puissant de la tradition classique – celle de Rabelais et de Molière –, plus que la tendance à la plaisanterie facile et superficielle qui selon lui gangrenait la littérature et les spectacles du temps, l'opérette

---

1. Émile Zola, *Paris*, éd. Jacques Noiray, Gallimard, « Folio », 2002.

2. Voir Jacques Noiray, « L'humour de Zola », *Les Cahiers naturalistes*, n° 64, 1990, p. 167-171, et les travaux de Marie-Ange Voisin-Fougère, notamment « Monsieur Zola aimait-il rire ? », *Les Cahiers naturalistes*, n° 74, 2000, p. 363-369, *L'Ironie naturaliste*, Honoré Champion, 2001, et *Zola et le rire*, Neuilly-les-Dijon, Éditions du Murmure, 2003.

notamment. Dans la préface de *Mes Haines* (1866),
il n'oubliera pas de stigmatiser « les railleurs mal-
sains, les petits jeunes gens qui ricanent, ne pouvant
imiter la pesante gravité de leurs papas [1] ». Chroniqueur au *Figaro*, au *Petit Journal*, à *L'Événement illustré*, il lui aurait été bien difficile de ne pas sacrifier à
la tendance boulevardière, au rire obligatoire, à la
fonction programmée d'amuseur public. Mais, pour
fidèles qu'elles soient à l'esprit du temps, les nouvelles humoristiques de Zola ne s'y soumettent pas
totalement. La tendance au ridicule est orientée, elle
dispose devant le public le miroir de sa naïveté et, si
Zola cherche à amuser ses lecteurs, c'est sans les flatter. *Villégiature* s'inscrit dans la tradition des physiologies [2] du bourgeois. Dérivé lointain des *Caractères*
de La Bruyère, ce portrait-carte du « boutiquier campagnard » est à ranger dans ce vaste ensemble qui
illustre et sanctionne le type honni du bourgeois.
L'obsession de l'« épicier », du philistin, sous ses
multiples variantes, traduit la sourde menace que le
matérialisme fait peser sur la liberté créatrice. Paradoxalement, le bourgeois est partout dans les
œuvres, parfois même en leur cœur – c'est le cas chez
Flaubert, Zola, Maupassant – et cette omniprésence
a été thématisée par tous les artistes du XIXe siècle,
toutes tendances et toutes écoles confondues. Dans
Villégiature, le croquis n'est encore qu'esquissé et ne
laisse pas présager le traitement plus satirique à
l'œuvre dans les nouvelles et les romans de la matu-
rité, *Les Coquillages de Monsieur Chabre* [3] ou *Pot-
Bouille*. On détecte même une certaine sympathie
dans l'évocation de Gobichon : ce vaillant petit-
bourgeois impatient de passer le dimanche en famille
dans sa campagne d'Arcueil est à sa façon le symbole
de l'entrée dans une ère nouvelle, celle des loisirs.

---

1. *OC*, t. X, p. 25.
2. Voir la thèse de Nathalie Preiss, *Les Physiologies en France au
XIXe siècle*, Paris-IV Sorbonne, 1986.
3. Cette nouvelle figure dans Zola, *Contes et nouvelles (1875-
1899)*, *op. cit.*, p. 216.

Il est d'autres évolutions de la société moderne que Zola a constatées et pressenties dans ses contes, par exemple la montée en puissance de la publicité et de ce qui ne se nomme pas encore le marketing, ces tendances nouvelles qui feront du pauvre Claude *Une victime de la réclame*. Divertissant et bien enlevé, le texte prend pour le lecteur du XXIe siècle une signification presque prophétique. *Les Repoussoirs* exploite un autre travers voué à un bel avenir économique et commercial : l'obsession de la beauté à tout prix. En poussant à l'extrême les manies de ses contemporain(e)s et en les croisant avec la logique d'un capitalisme déjà en plein essor, Zola produit une nouvelle atrocement drôle, « à mi-chemin entre le petit poème en prose et le conte cruel à la Villiers [1] », où l'ironie confine à l'humour noir. Proche, par le ton et la donnée un peu farfelue, de l'univers du vaudeville, l'« histoire » de Durandeau, cet « industriel original et inventif » (p. 104) qui entreprend de faire commerce de la laideur, fascine et inquiète le lecteur, parce que sa dimension scabreuse est prise en charge par l'ironie d'un narrateur malgré tout pertinent et crédible, qui joue le jeu de la justification jusqu'au bout. Le récit est encadré par deux chapitres où Zola décline avec virtuosité un discours qui, d'un même élan, signale et légitime le cynisme, selon la règle du double langage.

La maîtrise du procédé comique et de la transposition ironique se retrouve dans *La Journée d'un chien errant*, *Une cage de bêtes féroces* et *Les Disparitions mystérieuses*. Zola, qui avait « l'amour des bêtes [2] » et qui a toujours entretenu avec son épouse une petite ménagerie d'animaux domestiques, excelle dans la fiction animalière. *La Journée d'un chien errant* est sans doute pour une part inspiré des *Bons Chiens* de Baudelaire, qui avait paru dans *Le Grand Journal* le

---

1. Sophie Guermès, « Une épopée burlesque et triste. Lecture des *Repoussoirs* », *Les Cahiers naturalistes*, n° 71, 1997, p. 193.

2. Titre d'un article paru dans *Le Figaro* du 24 mars 1896 et repris dans *Une campagne* (*OC*, t. XIV, p. 736-742).

4 novembre 1866. S'il s'adonne résolument à la fiction, au « récit navrant » de l'épagneul tenté par la liberté, Zola prend tout de même le temps de placer, en tête du conte, un hommage singulier aux « libres penseurs de la rue », aux « bohèmes poètes qui aiment mieux philosopher et rimer au grand air que d'être chaudement et bêtement couchés sur un coussin, entre quatre murs ». Est ainsi mise en exergue, comme aussi dans *Le Chien et le loup* d'Alphonse Daudet, la condition difficile des intellectuels et des artistes sous le second Empire. La dimension politique sera plus marquée encore dans une version remaniée, *Le Paradis des chats*, qui figure dans les *Nouveaux Contes à Ninon*[1]. Bon connaisseur de La Fontaine, « ce roi des fabulistes » qui a voulu « se servir d'animaux pour instruire les mortels[2] », Zola se sert aussi de l'animal pour renverser le point de vue sur la condition humaine et ses aberrations. *Une cage de bêtes féroces*, peut-être suscité par un conte de Nodier, les *Tablettes de la girafe du Jardin des Plantes*[3], oriente l'apologue vers la dénonciation des folies délirantes et des passions sanguinaires encouragées par la civilisation. La « bête humaine » est décidément plus effrayante que les « honnêtes animaux », ces « braves gens » (p. 158) égarés dans la jungle des villes. La capitale est de nouveau au cœur d'une réjouissante parodie du roman populaire, *Les Disparitions mystérieuses*. À cette époque, « Rocambole triomphe ! » et les récits les plus échevelés, l'imagerie du crime, de l'enlèvement, les péripéties les plus invraisemblables séduisent un public

---

1. Zola, *Contes et nouvelles*, éd. Roger Ripoll, *op. cit.*, p. 440-444.

2. Brouillon d'un commentaire de « L'homme et la couleuvre », reproduit par Henri Mitterand, *Zola, op. cit.*, t. I, p. 869-874. Il y a d'assez nombreuses mentions de La Fontaine dans le *corpus* critique, de 1866 à 1893 : voir notre relevé indexé dans *Zola critique littéraire, op. cit.*, p. 492, entrée « La Fontaine ».

3. Indication de Roger Ripoll dans son édition des *Contes et nouvelles, op. cit.*, p. 1324.

toujours plus friand des feuilletons-romans. Zola, loin de condamner cette ferveur, s'en amuse avec brio et légèreté. Au sein d'une presse qui faisait grand cas de ce genre alors triomphant[1], il met à profit l'invraisemblance de l'intrigue et la naïveté du public pour écrire une petite comédie de dupes qui est aussi, d'une certaine façon, une étude de mœurs et l'esquisse d'une réflexion critique sur les mirages de la fiction.

Satire et dénonciation sociale

La dernière série de textes que nous devons évoquer est plus proche du « journalisme de combat » que Zola a pratiqué dans la presse d'opposition au second Empire[2], très active en 1870, puis, dans la foulée des événements historiques, dans les journaux républicains entre 1870 et 1872. L'auteur abandonne peu à peu le registre de la compassion dans laquelle baignaient les interpellations au public, celles du *Vieux Cheval* ou des *Étrennes de la mendiante*. Le ton s'est progressivement durci pour sonner au diapason de journaux engagés dans la critique sociale et politique, *La Cloche* ou *La Tribune*. Zola s'y trouve vite à l'aise et y confirme un indéniable talent de polémiste. À la chronique pittoresque et personnelle, qu'il continue d'ailleurs de pratiquer, comme on le voit avec *Le Forgeron* ou *Mon voisin Jacques*, à la litanie mélancolique et poétique des *Souvenirs*[3], Zola ajoute ce que l'on pourrait appeler des fictions énonciatives, qui exploitent l'anecdote ou le portrait à des fins nettement plus orientées,

---

1. Voir Lise Queffélec, *Le Roman-feuilleton français au XIXᵉ siècle*, PUF, « Que sais-je ? », 1989.

2. Voir Colette Becker, « Républicain sous l'Empire », *Les Cahiers naturalistes*, nᵒ 54, 1980, p. 7-16.

3. *Souvenirs* est le titre d'une série de quatorze textes repris et numérotés dans les *Nouveaux Contes à Ninon*, in *Contes et nouvelles*, éd. Roger Ripoll, *op. cit.*, p. 469-516.

celles de la satire sociale directe. *Au couvent,* par exemple, est un violent réquisitoire à l'encontre des couvents d'éducation, et s'inscrit ostensiblement dans la campagne en faveur de l'enseignement laïque féminin menée par Victor Duruy. Zola, passionné par les questions d'éducation, dénonce, comme il le fera régulièrement dans ses romans, notamment *La Curée,* les écoles du vice : « Il y a là une plaie sociale, et les plaies ne guérissent que lorsqu'on les cautérise avec un fer rouge » (p. 177). Dans le même esprit, le réformateur s'interroge : *À quoi rêvent les pauvres filles ?,* et comment passe-t-on de la misère à la prostitution ? Eh bien, en laissant subsister l'écart entre deux mondes, celui de la pauvreté et celui de la fête impériale, illustré par *Les Épaules de la marquise.* Toujours préoccupé par la femme, Zola, disciple de Michelet, la fait maintenant entrer dans un ordre de préoccupations plus conscientes et volontaristes, il épouse à son sujet l'éthique républicaine la plus avancée, soucieuse d'entrer dans les détails d'une vie quotidienne encombrée de clichés, d'objets socialisés et d'habitudes nocives, sous les apparences bénignes du mode de vie. L'écrivain se fait ici sociologue averti de la vie familiale et de ses rituels d'éducation : *Catherine* est un bon exemple de ces qualités d'analyse de l'observation que l'on retrouvera développées dans *Pot-Bouille.* Dans cette « morale du joujou », proche de celle de Baudelaire [1] et toujours d'actualité, Zola préfigure les remarques de Maria Montessori ou d'Elena Gianini Belotti [2] sur le conditionnement social des petites filles, préparées à

---

1. Baudelaire, « Morale du joujou », *Œuvres complètes, op. cit.,* t. I, p. 581-587. Zola, qui écrit *Catherine* en 1870, peut très bien avoir eu connaissance du texte de Baudelaire, publié en 1869 par Michel Lévy dans *L'Art romantique.*

2. Elena Gianini Belotti, *Du côté des petites filles,* Éditions des femmes, 1976. Le sous-titre de cet essai est *L'influence des conditionnements sociaux sur la formation du rôle féminin dans la petite enfance.*

leurs rôles futurs de « poupées domestiques »,
d'épouses et de mères.

Mais c'est désormais le spectacle concret de la
misère qui soulève chez Zola les accents d'indigna-
tion les plus violents. Dans *Le Chômage* se développe
un propos radical, direct, intensément réaliste, qui
manifeste une colère froide, éloignée de toute prudence. Initialement titré *Le Lendemain de la crise*, en
référence au contexte politique des derniers mois de
1872 et à l'aggravation de la situation économique
qui s'ensuivait, le texte prenait la valeur d'un dangereux manifeste en faveur de l'ouvrier accablé par « le
terrible chômage qui sonne le glas des mansardes »
(p. 227). L'âpreté de l'évocation, un sens du détail
chirurgical, la justesse des notations et le recours au
style indirect libre préfigurent dans cette nouvelle les
plus célèbres passages de *L'Assommoir* et de *Germinal*. *Le Chômage* dégage ce genre de vérité inédite
dans laquelle Zola a excellé, lorsque le recours à la
fiction donne à voir enfin une réalité sociale que la
littérature cherchait jusque-là davantage à masquer.
Cette « description trop âpre de la misère dans les
faubourgs[1] » sera paradoxalement la cause d'un
désaccord profond entre Zola et ses « amis » républicains, pour qui l'art doit continuer à *distraire*, à
consoler du réel et à embellir la vie.

Le chemin parcouru par Zola nouvelliste l'a donc
conduit du conte de fées et de l'idéalisme compensatoire de l'enfance au réalisme social, en passant par
la chronique divertissante et le tableau parisien. Une
longue nouvelle de 1870, comme *Le Grand Michu*,
que Zola, au moment de l'intégrer dans les *Nouveaux Contes à Ninon*, a débarrassée du préambule
qui l'inscrivait dans l'actualité, ouvre aussi une voie
vers le plaisir du récit de fiction, d'une narration
libérée des réquisits de la signification immédiate.

---

1. Zola, cité par Roger Ripoll dans son édition des *Contes et
nouvelles*, *op. cit.*, p. 1370.

C'est celle que l'on verra s'épanouir à partir de 1875, quand de nouvelles opportunités journalistiques se seront offertes à l'écrivain et qu'il se sera engagé plus complètement dans son destin d'auteur à part entière. Moins nombreux, plus élaborés, pétris d'un art plus concerté, nourris de toute l'expérience acquise pendant les années de « travaux forcés » (préface des *Nouveaux Contes à Ninon*, p. 195), les récits brefs composés par Zola à partir de 1875 vont faire de lui, il ne faut pas craindre de l'affirmer, l'un des maîtres de la nouvelle « classique » tout autant que « naturaliste ». Les deux étiquettes font problème, admettons-le, et singulièrement à propos de Zola, qui revendiquait leur possible superposition, plutôt que leur opposition. Mais si l'on diversifie le parcours de lecture, comme cette édition y invite, le mythe de l'écrivain monolithique ne tient pas. S'il a certes aspiré à la totalité et qu'il était servi par la puissance, Zola n'a pas suivi un chemin unique et ne s'est jamais enfermé dans aucun carcan. La variété de ses nouvelles n'est pas réductible aux tâtonnements du métier d'écrivain, car, très vite, elles instaurent un dialogue complexe entre des préoccupations concurrentes que l'œuvre entière, profondément cohérente et fidèle à elle-même – *génétique* –, aura charge de sublimer. Le souvenir et la fantaisie, l'humour et l'ironie, le rêve et le réel, le sens de l'observation et l'intelligence du social, la nature, la ville, les êtres, les choses... tous les ingrédients de la nouvelle zolienne entrent ainsi dans la composition d'un univers d'une telle richesse qu'il nous invite à en redéfinir les frontières et surtout à le redécouvrir.

François-Marie MOURAD.

NOTE SUR L'ÉDITION

Cette édition rassemble des contes et nouvelles de Zola parus entre 1864 et 1874 ; un second volume, publié dans la même collection, porte sur la période 1875-1899. Les textes retenus dans ce premier volume sont extraits des recueils suivants, composés par Zola : *Contes à Ninon* (1864), *Esquisses parisiennes* (1866), *Nouveaux Contes à Ninon* (1874). L'ordre dans lequel les récits apparaissent dans ces recueils a été respecté. Notre anthologie, qui se veut représentative de l'ensemble de la production zolienne en matière de récits brefs, propose également des récits que l'écrivain n'avait pas jugé utile de reprendre en recueil. On trouvera en notes les circonstances et les détails de rédaction et de publication des textes retenus. À la fin de l'ouvrage figurent la chronologie détaillée de la totalité des « nouvelles » de Zola, écrites et publiées entre deux dates extrêmes (de 1859 à 1899), et les tables des matières des recueils parus de son vivant.

CONTES ET NOUVELLES

(1864-1874)

À NINON [1]

PRÉFACE DES *CONTES À NINON*

Les voici donc, mon amie, ces libres récits de notre jeune âge, que je t'ai contés dans les campagnes de ma chère Provence [2], et que tu écoutais d'une oreille attentive, en suivant vaguement du regard les grandes lignes bleues des collines lointaines.

Les soirs de mai, à l'heure où la terre et le ciel s'anéantissaient avec lenteur dans une paix suprême, je quittais la ville et gagnais les champs : les coteaux arides, couverts de ronces et de genévriers ; ou bien les bords de la petite rivière, ce torrent de décembre, si discret aux beaux jours ; ou encore un coin perdu de la plaine, tiède des embrasements de midi, vastes terrains jaunes et rouges, plantés d'amandiers aux branches maigres, de vieux oliviers grisonnants et de vignes laissant traîner sur le sol leurs ceps entrelacés.

Pauvre terre desséchée, elle flamboie au soleil, grise et nue, entre les prairies grasses de la Durance et les bois d'orangers du littoral. Je l'aime pour sa beauté âpre, ses roches désolées, ses thyms et ses lavandes. Il y a dans cette vallée stérile je ne sais quel air brûlant de désolation : un étrange ouragan de

---

1. Préface du premier recueil de contes et nouvelles de Zola (qui est aussi sa première œuvre publiée), *Contes à Ninon*, paru à Paris, à la Librairie internationale (J. Hetzel et A. Lacroix éditeurs), en novembre 1864. Le texte suivi, de même que pour *Simplice*, *Celle qui m'aime* et *Sœur-des-Pauvres*, ci-après, est celui de l'édition Charpentier de 1874.

2. Zola a vécu son enfance et son adolescence à Aix-en-Provence. Voir la « Vie de Zola » en fin de volume.

passion semble avoir soufflé sur la contrée ; puis, un grand accablement s'est fait, et les campagnes, ardentes encore, se sont comme endormies dans un dernier désir. Aujourd'hui, au milieu de mes forêts du Nord, lorsque je revois en pensée ces poussières et ces cailloux, je me sens un amour profond pour cette patrie sévère qui n'est pas la mienne. Sans doute, l'enfant rieur et les vieilles roches chagrines s'étaient autrefois pris de tendresse ; et, maintenant, l'enfant devenu homme dédaigne les prés humides, les verdures noyées, amoureux des grandes routes blanches et des montagnes brûlées, où son âme, fraîche de ses quinze ans, a rêvé ses premiers songes.

Je gagnais les champs. Là, au milieu des terres labourées ou sur les dalles des coteaux, lorsque je m'étais couché à demi, perdu dans cette paix qui tombait des profondeurs du ciel, je te trouvais, en tournant la tête, mollement couchée à ma droite, pensive, le menton dans la main, me regardant de tes grands yeux. Tu étais l'ange de mes solitudes, mon bon ange gardien que j'apercevais près de moi, quelle que fût ma retraite ; tu lisais dans mon cœur mes secrets désirs, tu t'asseyais partout à mon côté, ne pouvant être où je n'étais pas. Aujourd'hui, j'explique ainsi ta présence de chaque soir. Autrefois, sans jamais te voir venir, je n'avais point d'étonnement à rencontrer sans cesse tes clairs regards : je te savais fidèle, toujours en moi.

Ma chère âme, tu me rendais plus douces les tristesses des soirées mélancoliques. Tu avais la beauté désolée de ces collines, leur pâleur de marbre, rougissante aux derniers baisers du soleil. Je ne sais quelle pensée éternelle élevait ton front et grandissait tes yeux. Puis, lorsqu'un sourire passait sur tes lèvres paresseuses, on eût dit, dans la jeunesse et la splendeur soudaine de ton visage, ce rayon de mai qui fait monter toutes fleurs et toutes verdures de cette terre frémissante, fleurs et verdures d'un jour que brûlent les soleils de juin. Il existait, entre toi et les horizons, de secrètes harmonies qui me faisaient aimer les pierres des sentiers. La petite rivière avait ta voix ;

les étoiles, à leur lever, regardaient de ton regard ;
toutes choses, autour de moi, souriaient de ton sourire. Et toi, donnant ta grâce à cette nature, tu en
prenais les sévérités passionnées. Je vous confondais
l'une avec l'autre. À te voir, j'avais conscience de
son ciel libre, et, lorsque mes yeux interrogeaient la
vallée, je retrouvais tes lignes souples et fortes dans
les ondulations des terrains. C'est à vous comparer
ainsi que je me mis à vous aimer follement toutes
deux, ne sachant laquelle j'adorais davantage, de ma
chère Provence ou de ma chère Ninon.

Chaque matin, mon amie, je me sens des besoins
nouveaux de te remercier des jours d'autrefois. Tu
fus charitable et douce, de m'aimer un peu et de
vivre en moi ; dans cet âge où le cœur souffre d'être
seul, tu m'apportas ton cœur pour épargner au mien
toute souffrance. Si tu savais combien de pauvres
âmes meurent aujourd'hui de solitude ! Les temps
sont durs à ces âmes faites d'amour. Moi, je n'ai pas
connu ces misères. Tu m'as présenté à toute heure
un visage de femme à adorer, tu as peuplé mon
désert, te mêlant à mon sang, vivante dans ma pensée. Et moi, perdu en ces amours profondes, j'ou-
bliais, te sentant en mon être. La joie suprême de
notre hymen me faisait traverser en paix cette rude
contrée des seize ans, où tant de mes compagnons
ont laissé des lambeaux de leurs cœurs.

Créature étrange, aujourd'hui que tu es loin de
moi et que je puis voir clair en mon âme, je trouve
un âpre plaisir à étudier pièce à pièce nos amours.
Tu étais femme, belle et ardente, et je t'aimais en
époux. Puis, je ne sais comment, parfois tu devenais
une sœur, sans cesser d'être une amante ; alors, je
t'aimais en amant et en frère à la fois, avec toute la
chasteté de l'affection, tout l'emportement du désir.
D'autres fois, je trouvais en toi un compagnon, une
robuste intelligence d'homme, et toujours aussi une
enchanteresse, une bien-aimée, dont je couvrais le
visage de baisers, tout en lui enserrant la main en
vieux camarade. Dans la folie de ma tendresse, je

donnais ton beau corps que j'aimais tant, à chacune de mes affections. Songe divin, qui me faisait adorer en toi chaque créature, corps et âme, de toute ma puissance, en dehors du sexe et du sang. Tu contentais à la fois les ardeurs de mon imagination, les besoins de mon intelligence. Ainsi tu réalisais le rêve de l'ancienne Grèce, l'amante faite homme, aux exquises élégances de forme, à l'esprit viril, digne de science et de sagesse. Je t'adorais de tous mes amours, toi qui suffisais à mon être, toi dont la beauté innommée m'emplissait de mon rêve. Lorsque je sentais en moi ton corps souple, ton doux visage d'enfant, ta pensée faite de ma pensée, je goûtais dans son plein cette volupté inouïe, vainement cherchée aux anciens âges, de posséder une créature par tous les nerfs de ma chair, toutes les affections de mon cœur, toutes les facultés de mon intelligence.

Je gagnais les champs. Couché sur la terre, appuyant ta tête sur ma poitrine, je te parlais pendant de longues heures, le regard perdu dans l'immensité bleue de tes yeux. Je te parlais, insoucieux de mes paroles, selon mon caprice du moment [1]. Parfois, me penchant vers toi, comme pour te bercer, je m'adressais à une petite fille naïve, qui ne veut point dormir et que l'on endort avec de belles histoires, leçons de charité et de sagesse ; d'autres fois, mes lèvres sur tes lèvres, je contais à une bien-aimée les amours des fées ou les tendresses charmantes de deux jeunes amants ; plus souvent encore, les jours où je souffrais de la sotte méchanceté de mes compagnons, et ces jours-là réunis ont fait les années de ma jeunesse, je te prenais la main, l'ironie aux lèvres, le doute et la négation au cœur, me plaignant à un frère des misères de ce monde, dans quelque conte désolant, satire pleine de larmes. Et toi, te pliant à mes caprices, tout en restant femme et épouse, tu étais tour à tour petite fille naïve,

---

1. Dans cette scénographie romantique, où triomphe la transfiguration poétique du désir d'écrire, Zola présente métaphoriquement les contes et les nouvelles du recueil.

bien-aimée, frère consolateur. Tu entendais chacun
de mes langages. Sans jamais répondre, tu m'écoutais, me laissant lire dans tes yeux les émotions, les
gaietés et les tristesses de mes récits. Je t'ouvrais mon
âme toute large, désireux de ne rien cacher. Je ne te
traitais point comme ces amantes communes aux-
quelles les amants mesurent leurs pensées : je me donnais entier, sans jamais veiller à mes discours. Aussi,
quels longs bavardages, quelles histoires étranges,
filles du rêve ! quels récits décousus, où l'invention
s'en allait au hasard, et dont les seuls épisodes suppor-
tables étaient les baisers que nous échangions ! Si
quelque passant nous eût épiés le soir, au pied de nos
rochers, je ne sais quelle singulière figure il eût faite à
entendre mes paroles libres, et à te voir les comprendre, ma petite fille naïve, ma bien-aimée, mon
frère consolateur.

Hélas ! ces beaux soirs ne sont plus. Un jour est
venu où j'ai dû vous quitter, toi et les champs de Provence. Te souviens-tu, mon beau rêve, nous nous
sommes dit adieu, par une soirée d'automne, au bord
de la petite rivière. Les arbres dépouillés rendaient les
horizons plus vastes et plus mornes ; la campagne, à
cette heure avancée, couverte de feuilles sèches,
humide des premières pluies, s'étendait noire, avec de
grandes taches jaunes, comme un immense tapis de
bure. Au ciel, les derniers rayons s'effaçaient, et, du
levant, montait la nuit, menaçante de brouillards, nuit
sombre que devait suivre une aube inconnue. Il en
était de ma vie comme de ce ciel d'automne ; l'astre
de ma jeunesse venait de disparaître, la nuit de l'âge
montait, me gardant je ne savais quel avenir. Je me
sentais des besoins cuisants de réalité ; je me trouvais
las du songe, las du printemps, las de toi, ma chère
âme, qui échappais à mes étreintes et ne pouvais,
devant mes larmes, que me sourire avec tristesse [1].

_____

1. Ainsi est figurée, dans ce témoignage autobiographique, la
conversion progressive du mensonge romantique à la vérité romanesque, et le choix raisonné du réalisme, d'abord réfuté par un
Zola romantique et poète.

Nos amours divines étaient bien finies ; elles avaient, comme toutes choses, vécu leur saison. C'est alors, voyant que tu te mourais en moi, que j'allai au bord de la petite rivière, dans la campagne moribonde, te donner mes baisers du départ. Oh ! l'amoureuse et triste soirée ! Je te baisai, ma blanche mourante, j'essayai une dernière fois de te rendre la vie puissante de tes beaux jours ; je ne pus, car j'étais moi-même ton bourreau. Tu montas en moi plus haut que le corps, plus haut que le cœur, et tu ne fus plus qu'un souvenir.

Voici bientôt sept ans que je t'ai quittée [1]. Depuis le jour des adieux, dans mes joies et dans mes chagrins, j'ai souvent écouté ta voix, la voix caressante d'un souvenir, qui me demandait les contes de nos soirées de Provence.

Je ne sais quel écho de nos roches sonores répond dans mon cœur. Toi que j'ai laissée loin de moi, tu m'adresses de ton exil des prières si touchantes, qu'il me semble les entendre tout au fond de mon être. Ce doux frémissement que laissent en nous les voluptés passées, m'invite à céder à tes désirs. Pauvre ombre disparue, si je dois te consoler par mes vieilles histoires, dans les solitudes où vivent les chers fantômes de nos songes évanouis, je sens combien moi-même je trouverai d'apaisement à m'écouter te parler, comme aux jours de notre jeune âge.

J'accueille tes prières, je vais reprendre, un à un, les contes de nos amours, non pas tous, car il en est qui ne sauraient être dits une seconde fois, le soleil ayant fané, dès leur naissance, ces fleurs délicates, trop divinement simples pour le grand jour ; mais ceux de vie plus robuste, et dont la mémoire humaine, cette grossière machine, peut garder le souvenir.

Hélas ! je crains de me préparer ici de grands chagrins. C'est violer le secret de nos tendresses que de

---

1. Cette indication chronologique exacte, si on la rapporte à la biographie de Zola, invite bien à lire cette préface comme un témoignage sur sa vie et son évolution intérieure.

confier nos causeries au vent qui passe, et les amants indiscrets sont punis en ce monde par l'indifférente froideur de leurs confidents. Une espérance me reste : c'est qu'il ne se trouvera pas une seule personne en ce pays qui ait la tentation de lire nos histoires. Notre siècle est vraiment bien trop occupé, pour s'arrêter aux causeries [1] de deux amants inconnus. Mes feuilles volantes passeront sans bruit dans la foule et te parviendront vierges encore. Ainsi, je puis être fou tout à mon aise ; je puis, comme autrefois, aller à l'aventure, insoucieux des sentiers. Toi seule me liras, je sais avec quelle indulgence.

Et maintenant, Ninon, j'ai satisfait tes vœux. Voici mes contes. N'élève plus ta voix en moi, cette voix du souvenir qui fait monter des larmes à mes yeux. Laisse en paix mon cœur qui a besoin de repos, ne viens plus, dans mes jours de lutte, m'attrister en me rappelant nos paresseuses nuits. S'il te faut une promesse, je m'engage à t'aimer encore, plus tard, lorsque j'aurai vainement cherché d'autres maîtresses en ce monde, et que j'en reviendrai à mes premières amours. Alors, je regagnerai la Provence, je te retrouverai au bord de la petite rivière. L'hiver sera venu, un hiver triste et doux, avec un ciel clair et une terre pleine des espérances de la moisson future. Va, nous nous adorerons toute une saison nouvelle ; nous reprendrons nos soirées paisibles, dans les campagnes aimées ; nous achèverons notre rêve.

Attends-moi, ma chère âme, vision fidèle, amante de l'enfant et du vieillard.

ÉMILE ZOLA.
1er octobre 1864.

---

1. C'est parfois sous cette dénomination vague et commode que paraissent les textes narratifs brefs dans la presse au XIXe siècle. Mais on *cause* aussi avec le lecteur pour faire de la critique littéraire, comme Zola le fera plus tard avec ses *Causeries dramatiques* du *Bien public*.

SIMPLICE [1]

I

Il y avait autrefois – écoute bien, Ninon, je tiens ce récit d'un vieux pâtre –, il y avait autrefois, dans une île que la mer a depuis longtemps engloutie, un roi et une reine qui avaient un fils. Le roi était un grand roi : son verre était le plus profond de son empire ; son épée, la plus lourde ; il tuait et buvait royalement. La reine était une belle reine : elle usait tant de fard qu'elle n'avait guère plus de quarante ans. Le fils était un niais.

Mais un niais de la plus grosse espèce, disaient les gens d'esprit du royaume. À seize ans, il fut emmené en guerre par le roi : il s'agissait d'exterminer certaine nation voisine qui avait le grand tort de posséder un territoire. Simplice se comporta comme un sot : il sauva du carnage deux douzaines de femmes et trois douzaines et demie d'enfants ; il faillit pleurer à chaque coup d'épée qu'il donna ; enfin la vue du champ de bataille, souillé de sang et encombré de cadavres, lui mit une telle pitié au cœur, qu'il n'en mangea pas de trois jours. C'était un grand sot, Ninon, comme tu vois.

1. Ce texte, qui ouvre le recueil des *Contes à Ninon*, a probablement été rédigé en 1862, mais sa conception paraît remonter à 1859, date de rédaction d'un poème dans lequel apparaît la trame de l'histoire. Prépublications, avec des variantes : *Revue du mois* (Lille), 25 octobre 1863, avec le surtitre *Contes à Ninette* ; puis *Nouvelle Revue de Paris*, 1er octobre-1er novembre 1864, avec cette fois le surtitre *Contes à Ninon*.

À dix-sept ans, il dut assister à un festin donné
par son père à tous les grands gosiers du royaume.
Là encore il commit sottise sur sottise. Il se contenta
de quelques bouchées, parlant peu, ne jurant point.
Son verre risquant de rester toujours plein devant
lui, le roi, pour sauvegarder la dignité de la famille,
se vit forcé de le vider de temps à autre en cachette.

À dix-huit ans, comme le poil lui poussait au menton, il fut remarqué par une dame d'honneur de la
reine. Les dames d'honneur sont terribles, Ninon.
La nôtre ne voulait rien moins que se faire embrasser
par le jeune prince. Le pauvre enfant n'y songeait
guère ; il tremblait fort, lorsqu'elle lui adressait la
parole, et se sauvait, dès qu'il apercevait le bord de
ses jupes dans les jardins. Son père, qui était un bon
père, voyait tout et riait dans sa barbe. Mais, comme
la dame courait plus fort et que le baiser n'arrivait
pas, il rougit d'avoir un tel fils, et donna lui-même
le baiser demandé, toujours pour sauvegarder la
dignité de sa race.

« Ah ! le petit imbécile ! » disait ce grand roi qui
avait de l'esprit.

II

Ce fut à vingt ans que Simplice devint complètement idiot. Il rencontra une forêt et tomba
amoureux.

Dans ces temps anciens, on n'embellissait point
encore les arbres à coups de ciseaux, et la mode
n'était pas de semer le gazon ni de sabler les allées.
Les branches poussaient comme elles l'entendaient ;
Dieu seul se chargeait de modérer les ronces et de
ménager les sentiers. La forêt que Simplice rencontra était un immense nid de verdure, des feuilles et
encore des feuilles, des charmilles impénétrables
coupées par de majestueuses avenues. La mousse,
ivre de rosée, s'y livrait à une débauche de crois-
sance ; les églantiers, allongeant leurs bras flexibles,

se cherchaient dans les clairières pour exécuter des danses folles autour des grands arbres ; les grands arbres eux-mêmes, tout en restant calmes et sereins, tordaient leur pied dans l'ombre et montaient en tumulte baiser les rayons d'été. L'herbe verte croissait au hasard, sur les branches comme sur le sol ; la feuille embrassait le bois, tandis que, dans leur hâte de s'épanouir, pâquerettes et myosotis, se trompant parfois, fleurissaient sur les vieux troncs abattus. Et toutes ces branches, toutes ces herbes, toutes ces fleurs chantaient ; toutes se mêlaient, se pressaient, pour babiller plus à l'aise, pour se dire tout bas les mystérieuses amours des corolles. Un souffle de vie courait au fond des taillis ténébreux, donnant une voix à chaque brin de mousse dans les ineffables concerts de l'aurore et du crépuscule. C'était la fête immense du feuillage [1].

Les bêtes à bon Dieu [2], les scarabées, les libellules, les papillons, tous les beaux amoureux des haies fleuries, se donnaient rendez-vous aux quatre coins du bois. Ils y avaient établi leur petite république ; les sentiers étaient leurs sentiers ; les ruisseaux, leurs ruisseaux ; la forêt, leur forêt. Ils se logeaient commodément au pied des arbres, sur les branches basses, dans les feuilles sèches, vivaient là comme chez eux, tranquillement et par droit de conquête. Ils avaient, d'ailleurs, en bonnes gens, abandonné les hautes branches aux fauvettes et aux rossignols.

La forêt, qui chantait déjà par ses branches, par ses feuilles, par ses fleurs, chantait encore par ses insectes et par ses oiseaux.

---

1. Ce passage anticipe les descriptions du parc du Paradou dans *La Faute de l'abbé Mouret,* cinquième roman de la série des *Rougon-Macquart* (1875). Toute l'œuvre de Zola est habitée par le schème obsessionnel de l'idylle édénique, les « hymnes de l'amour », pour reprendre la formule de Brunetière. Mais la quête de l'innocence est indissociable de la fragilité, de la souillure et de la faute. Voir, sur cette question, l'ouvrage fondamental de Jean Borie, *Zola et les mythes ou De la nausée au salut,* Seuil, 1971 ; rééd. LGF, Le Livre de poche, « Biblio Essais », 2003.

2. Bête à bon Dieu : périphrase familière de « coccinelle ».

III

Simplice devint en peu de jours un vieil ami de la forêt. Ils bavardèrent si follement ensemble, qu'elle lui enleva le peu de raison qui lui restait. Lorsqu'il la quittait pour venir s'enfermer entre quatre murs, s'asseoir devant une table, se coucher dans un lit, il demeurait tout songeur. Enfin, un beau matin, il abandonna soudain ses appartements et alla s'installer sous les feuillages aimés.

Là, il se choisit un immense palais.

Son salon fut une vaste clairière ronde, d'environ mille toises de surface. De longues draperies vert sombre en ornaient le pourtour ; cinq cents colonnes flexibles soutenaient, sous le plafond, un voile de dentelle couleur d'émeraude ; le plafond lui-même était un large dôme de satin bleu changeant, semé de clous d'or.

Pour chambre à coucher, il eut un délicieux boudoir, plein de mystère et de fraîcheur. Le plancher ainsi que les murs en étaient cachés sous de moelleux tapis d'un travail inimitable. L'alcôve, creusée dans le roc par quelque géant, avait des parois de marbre rose et un sol de poussière de rubis.

Il eut aussi sa chambre de bains, une source d'eau vive, une baignoire de cristal perdue dans un bouquet de fleurs. Je ne te parlerai pas, Ninon, des mille galeries qui se croisaient dans le palais, ni des salles de danse et de spectacle, ni des jardins. C'était une de ces royales demeures comme Dieu sait en bâtir.

Le prince put désormais être un sot tout à son aise. Son père le crut changé en loup et chercha un héritier plus digne du trône.

IV

Simplice fut très occupé les jours qui suivirent son installation. Il lia connaissance avec ses voisins, le scarabée de l'herbe et le papillon de l'air. Tous

étaient de bonnes bêtes, ayant presque autant
d'esprit que les hommes.

Dans les commencements, il eut quelque peine à
comprendre leur langage ; mais il s'aperçut bientôt
qu'il devait s'en prendre à son éducation première.
Il se conforma vite à la concision de la langue des
insectes. Un son finit par lui suffire, comme à eux,
pour désigner cent objets différents, suivant
l'inflexion de la voix et la tenue de la note. De sorte
qu'il alla se déshabituant de parler la langue des
hommes, si pauvre dans sa richesse.

Les façons d'être de ses nouveaux amis le char-
mèrent. Il s'émerveilla surtout de leur manière de
juger les rois, qui est celle de ne point en avoir. Enfin
il se sentit ignorant auprès d'eux, et prit la résolution
d'aller étudier à leurs écoles.

Il fut plus discret dans ses rapports avec les
mousses et les aubépines. Comme il ne pouvait
encore saisir les paroles du brin d'herbe et de la
fleur, cette impuissance jetait beaucoup de froid
dans leurs relations.

Somme toute, la forêt ne le vit pas d'un mauvais
œil. Elle comprit que c'était là un simple d'esprit et
qu'il vivrait en bonne intelligence avec les bêtes. On
ne se cacha plus de lui. Souvent il lui arrivait de surprendre au fond d'une allée un papillon chiffonnant
la collerette d'une marguerite.

Bientôt l'aubépine vainquit sa timidité jusqu'à donner des leçons au jeune prince. Elle lui apprit amoureusement le langage des parfums et des couleurs.
Dès lors, chaque matin, les corolles empourprées
saluaient Simplice à son lever ; la feuille verte lui
contait les cancans de la nuit, le grillon lui confiait
tout bas qu'il était amoureux fou de la violette.

Simplice s'était choisi pour bonne amie une libellule dorée, au fin corsage, aux ailes frémissantes. La
chère belle se montrait d'une désespérante coquetterie : elle se jouait, semblait l'appeler, puis fuyait lestement sous sa main. Les grands arbres, qui voyaient

ce manège, la tançaient vertement, et, graves, disaient entre eux qu'elle ferait une mauvaise fin.

V

Simplice devint subitement inquiet.

La bête à bon Dieu, qui s'aperçut la première de la tristesse de leur ami, essaya de le confesser. Il répondit en pleurant qu'il était gai comme aux premiers jours.

Maintenant, il se levait avec l'aurore pour courir les taillis jusqu'au soir. Il écartait doucement les branches, visitant chaque buisson. Il levait la feuille et regardait dans son ombre.

« Que cherche donc notre élève ? » demandait l'aubépine à la mousse.

La libellule, étonnée de l'abandon de son amant, le crut devenu fou d'amour. Elle vint lutiner autour de lui. Mais il ne la regarda plus. Les grands arbres l'avaient bien jugée : elle se consola vite avec le premier papillon du carrefour.

Les feuillages étaient tristes. Ils regardaient le jeune prince interroger chaque touffe d'herbe, sonder du regard les longues avenues ; ils l'écoutaient se plaindre de la profondeur des broussailles, et ils disaient :

« Simplice a vu Fleur-des-Eaux, l'ondine [1] de la source. »

---

1. Dans les mythologies nordiques et germaniques, l'ondine est un génie des eaux. Sur son manuscrit (non daté, conservé dans les archives familiales), Zola avait d'abord choisi comme titre *Le Baiser de l'ondine – Conte.*

VI

Fleur-des-Eaux était fille d'un rayon et d'une goutte de rosée. Elle était si limpidement belle, que le baiser d'un amant devait la faire mourir, elle exhalait un parfum si doux, que le baiser de ses lèvres devait faire mourir un amant.

La forêt le savait, et la forêt jalouse cachait son enfant adorée ; elle lui avait donné pour asile une fontaine ombragée de ses rameaux les plus touffus. Là, dans le silence et dans l'ombre, Fleur-des-Eaux rayonnait au milieu de ses sœurs. Paresseuse, elle s'abandonnait au courant, ses petits pieds demi-voilés par les flots, sa tête blonde couronnée de perles limpides. Son sourire faisait les délices des nénuphars et des glaïeuls. Elle était l'âme de la forêt.

Elle vivait insoucieuse, ne connaissant de la terre que sa mère, la rosée, et du ciel que le rayon, son père. Elle se sentait aimée du flot qui la berçait, de la branche qui lui donnait son ombre. Elle avait mille amoureux et pas un amant.

Fleur-des-Eaux n'ignorait pas qu'elle devait mourir d'amour ; elle se plaisait dans cette pensée, et vivait en espérant la mort. Souriante, elle attendait le bien-aimé.

Une nuit, à la clarté des étoiles, Simplice l'avait vue au détour d'une allée. Il la chercha pendant un long mois, pensant la rencontrer derrière chaque tronc d'arbre. Il croyait toujours la voir glisser dans les taillis ; mais il ne trouvait, en accourant, que les grandes ombres des peupliers agités par les souffles du ciel.

VII

La forêt se taisait maintenant ; elle se défiait de Simplice. Elle épaississait son feuillage, elle jetait toute sa nuit sur les pas du jeune prince. Le péril qui menaçait Fleur-des-Eaux la rendait chagrine ; elle n'avait plus de caresses, plus d'amoureux babil.

L'ondine revint dans les clairières, et Simplice la vit de nouveau. Fou de désir, il s'élança à sa poursuite. L'enfant, montée sur un rayon de lune, n'entendit point le bruit de ses pas. Elle volait ainsi, légère comme la plume qu'emporte le vent.

Simplice courait, courait à sa suite sans pouvoir l'atteindre. Des larmes coulaient de ses yeux, le désespoir était dans son âme.

Il courait, et la forêt suivait avec anxiété cette course insensée. Les arbustes lui barraient le chemin. Les ronces l'entouraient de leurs bras épineux, l'arrêtant brusquement au passage. Le bois entier défendait son enfant.

Il courait, et sentait la mousse devenir glissante sous ses pas. Les branches des taillis s'enlaçaient plus étroitement, se présentaient à lui, rigides comme des tiges d'airain. Les feuilles sèches s'amassaient dans les vallons ; les troncs d'arbres abattus se mettaient en travers des sentiers ; les rochers roulaient d'eux-mêmes au-devant du prince. L'insecte le piquait au talon ; le papillon l'aveuglait en battant des ailes à ses paupières.

Fleur-des-Eaux, sans le voir, sans l'entendre, fuyait toujours sur le rayon de lune. Simplice sentait avec angoisse venir l'instant où elle allait disparaître.

Et, désespéré, haletant, il courait, il courait.

VIII

Il entendit les vieux chênes qui lui criaient avec colère :

« Que ne disais-tu que tu étais un homme ? Nous nous serions cachés de toi, nous t'aurions refusé nos leçons, pour que ton œil de ténèbres ne pût voir Fleur-des-Eaux, l'ondine de la source. Tu t'es présenté à nous avec l'innocence des bêtes, et voici qu'aujourd'hui tu montres l'esprit des hommes.

Regarde, tu écrases les scarabées, tu arraches nos feuilles, tu brises nos branches. Le vent d'égoïsme t'emporte, tu veux nous voler notre âme. »

Et l'aubépine ajouta :

« Simplice, arrête, par pitié ! Lorsque l'enfant capricieux désire respirer le parfum de mes bouquets étoilés, que ne les laisse-t-il s'épanouir librement sur la branche ! Il les cueille et n'en jouit qu'une heure. »

Et la mousse dit à son tour :

« Arrête, Simplice, viens rêver sur le velours de mon frais tapis. Au loin, entre les arbres, tu verras se jouer Fleur-des-Eaux. Tu la verras se baigner dans la source, se jetant au cou des colliers de perles humides. Nous te mettrons de moitié dans la joie de son regard : comme à nous, il te sera permis de vivre pour la voir. »

Et toute la forêt reprit :

« Arrête, Simplice, un baiser doit la tuer, ne donne pas ce baiser. Ne le sais-tu pas ? La brise du soir, notre messagère, ne te l'a-t-elle pas dit ? Fleur-des-Eaux est la fleur céleste dont le parfum donne la mort. Hélas ! la pauvrette, sa destinée est étrange. Pitié pour elle, Simplice, ne bois pas son âme sur ses lèvres. »

IX

Fleur-des-Eaux se tourna et vit Simplice. Elle sourit, elle lui fit signe d'approcher, en disant à la forêt :

« Voici venir le bien-aimé. »

Il y avait trois jours, trois heures, trois minutes, que le prince poursuivait l'ondine. Les paroles des chênes grondaient encore derrière lui ; il fut tenté de s'enfuir.

Fleur-des-Eaux lui pressait déjà les mains. Elle se dressait sur ses petits pieds, mirant son sourire dans les yeux du jeune homme.

« Tu as bien tardé, dit-elle. Mon cœur te savait dans la forêt. J'ai monté sur un rayon de lune et je t'ai cherché trois jours, trois heures, trois minutes. »

Simplice se taisait, retenant son souffle. Elle le fit asseoir au bord de la fontaine ; elle le caressait du regard ; et lui, il la contemplait longuement.

« Ne me reconnais-tu pas ? reprit-elle. Je t'ai vu souvent en rêve. J'allais à toi, tu me prenais la main, puis nous marchions, muets et frémissants. Ne m'as-tu pas vue ? Ne te rappelles-tu pas tes rêves ? »

Et comme il ouvrait enfin la bouche :

« Ne dis rien, reprit-elle encore. Je suis Fleur-des-Eaux, et tu es le bien-aimé. Nous allons mourir. »

X

Les grands arbres se penchaient pour mieux voir le jeune couple. Ils tressaillaient de douleur, ils se disaient de taillis en taillis que leur âme allait prendre son vol.

Toutes les voix firent silence. Le brin d'herbe et le chêne se sentaient pris d'une immense pitié. Il n'y avait plus dans les feuillages un seul cri de colère. Simplice, le bien-aimé de Fleur-des-Eaux, était le fils de la vieille forêt.

Elle avait appuyé la tête à son épaule. Se penchant au-dessus du ruisseau, tous deux se souriaient. Parfois, levant le front, ils suivaient du regard la poussière d'or qui tremblait dans les derniers rayons du soleil. Ils s'enlaçaient lentement, lentement. Ils attendaient la première étoile pour se confondre et s'envoler à jamais.

Aucune parole ne troublait leur extase. Leurs âmes, qui montaient à leurs lèvres, s'échangeaient dans leurs haleines.

Le jour pâlissait, les lèvres des deux amants se rapprochaient de plus en plus. Une angoisse terrible tenait la forêt immobile et muette. De grands rochers d'où jaillissait la source jetaient de larges ombres sur le couple, qui rayonnait dans la nuit naissante.

Et l'étoile parut, et les lèvres s'unirent dans le suprême baiser, et les chênes eurent un long sanglot. Les lèvres s'unirent, les âmes s'envolèrent.

XI

Un homme d'esprit s'égara dans la forêt. Il était en compagnie d'un homme savant.

L'homme d'esprit faisait de profondes remarques sur l'humidité malsaine des bois, et parlait des beaux champs de luzerne qu'on obtiendrait en coupant tous ces grands vilains arbres.

L'homme savant rêvait de se faire un nom dans les sciences en découvrant quelque plante encore inconnue. Il furetait dans tous les coins, et découvrait des orties et du chiendent.

Arrivés au bord de la source, ils trouvèrent le cadavre de Simplice. Le prince souriait dans le sommeil de la mort. Ses pieds s'abandonnaient au flot, sa tête reposait sur le gazon de la rive. Il pressait sur ses lèvres, à jamais fermées, une petite fleur blanche et rose, d'une exquise délicatesse et d'un parfum pénétrant.

« Le pauvre fou ! dit l'homme d'esprit, il aura voulu cueillir un bouquet et se sera noyé. »

L'homme savant se souciait peu du cadavre. Il s'était emparé de la fleur, et sous prétexte de l'étudier, il en déchirait la corolle. Puis, lorsqu'il l'eut mise en pièces :

« Précieuse trouvaille ! s'écria-t-il. Je veux, en souvenir de ce niais, nommer cette fleur *Anthapheleia limnaia* [1]. »

Ah ! Ninette, Ninette, mon idéale Fleur-des-Eaux, le barbare la nommait *Anthapheleia limnaia* !

---

1. *Anthapheleia limnaia* : mot grec inventé à partir d'*anthos* (« fleur »), *limnaios* (« qui se trouve dans les étangs »), et *apheleia* (« naïveté », « simplicité »). Traduction possible : « la fleur naïve des étangs ».

CELLE QUI M'AIME [1]

I

Celle qui m'aime est-elle grande dame, toute de soie, de dentelles et de bijoux, rêvant à nos amours, sur le sofa d'un boudoir ? marquise ou duchesse, mignonne et légère comme un rêve, traînant languissamment sur les tapis les flots de ses jupes blanches et faisant une petite moue plus douce qu'un sourire ?

Celle qui m'aime est-elle grisette [2] pimpante, trottant menu, se troussant pour sauter les ruisseaux, quêtant d'un regard l'éloge de sa jambe fine ? Est-elle la bonne fille qui boit dans tous les verres, vêtue de satin aujourd'hui, d'indienne [3] grossière demain, trouvant dans les trésors de son cœur un brin d'amour pour chacun ?

---

1. Troisième des *Contes à Ninon*, probablement composé en 1863. *Celle qui m'aime* a d'abord paru dans *L'Entracte*, quotidien de l'actualité des théâtres, qui publiait des contes et des nouvelles. Cinq livraisons de deux chapitres chacune, les 18, 19, 21, 22 et 23 novembre 1864.

2. Grisette : jeune fille de condition modeste, généralement ouvrière ou employée dans les maisons de couture, coquette et de mœurs légères, « ainsi nommée parce qu'autrefois les filles de petite condition portaient de la grisette, étoffe grise de peu de valeur » (Littré). La grisette est vite devenue un type littéraire du romantisme fantaisiste et bohème. On la trouve chez Balzac (*La Grisette*, 1831), Musset (*Mimi Pinson, profil de grisette*, 1843), Murger (*Scènes de la vie de bohème*, 1851). Zola connaît bien ces œuvres et cette tradition, à laquelle il apporte ici sa contribution.

3. Indienne : étoffe de coton fabriquée primitivement aux Indes, puis, par la suite, étoffe similaire de coton.

Celle qui m'aime est-elle l'enfant blonde s'age-
nouillant pour prier au côté de sa mère ? la vierge
folle m'appelant le soir dans l'ombre des ruelles ?
Est-elle la brune paysanne qui me regarde au passage et qui emporte mon souvenir au milieu des
blés et des vignes mûres ? la pauvresse qui me remercie de mon aumône ? la femme d'un autre, amant
ou mari, que j'ai suivie un jour et que je n'ai plus
revue ?

Celle qui m'aime est-elle fille d'Europe, blanche
comme l'aube ? fille d'Asie, au teint jaune et doré
comme un coucher de soleil ? ou fille du désert,
noire comme une nuit d'orage ?

Celle qui m'aime est-elle séparée de moi par une
mince cloison ? est-elle au-delà des mers ? est-elle
au-delà des étoiles ?

Celle qui m'aime est-elle encore à naître ? est-elle
morte il y a cent ans ?

II

Hier, je l'ai cherchée sur un champ de foire. Il y
avait fête au faubourg, et le peuple endimanché
montait bruyamment par les rues.

On venait d'allumer les lampions. L'avenue, de
distance en distance, était ornée de poteaux jaunes
et bleus, garnis de petits pots de couleur, où brûlaient des mèches fumeuses que le vent effarait.
Dans les arbres, vacillaient des lanternes vénitiennes.
Des baraques en toile bordaient les trottoirs, laissant
traîner dans le ruisseau les franges de leurs rideaux
rouges. Les faïences dorées, les bonbons fraîchement
peints, le clinquant des étalages, miroitaient à la
lumière crue des quinquets.

Il y avait dans l'air une odeur de poussière, de
pain d'épice et de gaufres à la graisse. Les orgues
chantaient ; les paillasses enfarinés riaient et pleu-

raient sous une grêle de soufflets et de coups de pied. Une nuée chaude pesait sur cette joie [1].

Au-dessus de cette nuée, au-dessus de ces bruits, s'élargissait un ciel d'été, aux profondeurs pures et mélancoliques. Un ange venait d'illuminer l'azur pour quelque fête divine, fête souverainement calme de l'infini.

Perdu dans la foule, je sentais la solitude de mon cœur. J'allais, suivant du regard les jeunes filles qui me souriaient au passage, me disant que je ne reverrais plus ces sourires. Cette pensée de tant de lèvres amoureuses, entrevues un instant et perdues à jamais, était une angoisse pour mon âme [2].

J'arrivai ainsi à un carrefour, au milieu de l'avenue. À gauche, appuyée contre un orme, se dressait une baraque isolée. Sur le devant, quelques planches mal jointes formaient estrade, et deux lanternes éclairaient la porte, qui n'était autre chose qu'un pan de toile relevé en façon de rideau. Comme je m'arrêtais, un homme portant un costume de magicien, grande robe noire et chapeau en pointe semé d'étoiles, haranguait la foule du haut des planches.

« Entrez, criait-il, entrez, mes beaux messieurs, entrez, mes belles demoiselles ! J'arrive en toute hâte du fond de l'Inde pour réjouir les jeunes cœurs. C'est là que j'ai conquis, au péril de ma vie, le Miroir d'amour, que gardait un horrible Dragon. Mes beaux messieurs, mes belles demoiselles, je vous apporte la réalisation de vos rêves. Entrez, entrez

---

1. Influence probable du *Vieux Saltimbanque* de Baudelaire, texte publié dans *La Presse* du 27 août 1862 (*Le Spleen de Paris*, XIV) : « Tout n'était que lumière, poussière, cris, joie, tumulte. [...] Et partout circulait, dominant tous les parfums, une odeur de friture qui était comme l'encens de cette fête. » Le choix du décor, l'opposition entre l'homme et la foule, la thématique et les personnages autorisent d'assez nombreux rapprochements entre le poème en prose de Baudelaire et la nouvelle de Zola.

2. Dans les lettres de la période 1862-1863 écrites par Zola à ses plus proches amis, Cézanne et Baille, on rencontre aussi cette mélancolie affective.

voir Celle qui vous aime ! Pour deux sous Celle qui vous aime ! »

Une vieille femme, vêtue en bayadère [1], souleva le pan de toile. Elle promena sur la foule un regard hébété ; puis, d'une voix épaisse :

« Pour deux sous, cria-t-elle, pour deux sous Celle qui vous aime ! Entrez voir Celle qui vous aime [2] ! »

III

Le magicien battit une fantaisie entraînante sur la grosse caisse. La bayadère se pendit à une cloche et accompagna.

Le peuple hésitait. Un âne savant jouant aux cartes offre un vif intérêt ; un hercule soulevant des poids de cent livres est un spectacle dont on ne saurait se lasser ; on ne peut nier non plus qu'une géante demi-nue ne soit faite pour distraire agréablement tous les âges. Mais voir Celle qui vous aime, voilà bien la chose dont on se soucie le moins, et qui ne promet pas la plus légère émotion.

Moi, j'avais écouté avec ferveur l'appel de l'homme à la grande robe. Ses promesses répondaient au désir de mon cœur ; je voyais une Providence dans le hasard qui venait de diriger mes pas. Ce misérable grandit singulièrement à mes yeux, de tout l'étonnement que j'éprouvais à l'entendre lire mes secrètes pensées. Il me sembla le voir fixer sur moi des regards flamboyants, battant la grosse caisse avec une furie diabolique, me criant d'entrer d'une voix plus haute que celle de la cloche.

Je posais le pied sur la première planche, lorsque je me sentis arrêté. M'étant tourné, je vis au pied de

---

1. Bayadère : à l'origine, danseuse sacrée de l'Inde, puis, par extension, dans un sens ironique dévalué, danseuse de théâtre.

2. L'atmosphère étrange de ce conte fait penser à la série des *Excentriques* de Champfleury (1852) et à l'influence de Hoffmann, mentionné par Zola lorsqu'il a organisé la réception critique des *Contes à Ninon*.

l'estrade un homme me retenant par mon vêtement.
Cet homme était grand et maigre ; il avait de larges
mains couvertes de gants de fil plus larges encore, et
portait un chapeau devenu rouge, un habit noir
blanchi aux coudes, et de déplorables culottes de
casimir [1], jaunes de graisse et de boue. Il se plia en
deux, dans une longue et exquise révérence, puis,
d'une voix flûtée, me tint ce discours :

« Je suis fâché, monsieur, qu'un jeune homme
bien élevé donne un mauvais exemple à la foule.
C'est une grande légèreté que d'encourager dans son
impudence ce coquin spéculant sur nos mauvais
instincts ; car je trouve profondément immorales ces
paroles criées en plein vent, qui appellent filles et
garçons à une débauche du regard et de l'esprit. Ah !
monsieur, le peuple est faible. Nous avons, nous les
hommes rendus forts par l'instruction, nous avons,
songez-y, de graves et impérieux devoirs. Ne cédons
pas à de coupables curiosités, soyons dignes en
toutes choses. La moralité de la société dépend de
nous, monsieur. »

Je l'écoutai parler. Il n'avait pas lâché mon vêtement et ne pouvait se décider à achever sa révérence.
Son chapeau à la main, il discourait avec un calme
si complaisant, que je ne songeai pas à me fâcher. Je
me contentai, quand il se tut, de le regarder en face,
sans lui répondre. Il vit une question dans ce silence.

« Monsieur, reprit-il avec un nouveau salut, monsieur, je suis l'Ami du peuple [2], et j'ai pour mission
le bonheur de l'humanité. »

Il prononça ces mots avec un modeste orgueil, en
se grandissant brusquement de toute sa haute taille.

---

1. Casimir : étoffe de laine croisée, fine et légère. Le mot est
une altération de *Cassimere*, nom anglais de la province indienne
de *Cachemire*, d'où l'étoffe a d'abord été importée.

2. L'Ami du peuple, personnage sentencieux et ridicule, est
une satire de l'idéal socialiste. Zola, dans la lignée de Baudelaire
et de Flaubert, s'en prendra toujours violemment aux prêcheurs
et aux gardiens de l'ordre moral. Rappelons que c'est sous ce
vocable rousseauiste d'« Ami du peuple » que Marat est passé à la
postérité.

Je lui tournai le dos et montai sur l'estrade. Avant d'entrer, comme je soulevais le pan de toile, je le regardai une dernière fois. Il avait délicatement pris de sa main droite les doigts de sa main gauche, cherchant à effacer les plis de ses gants qui menaçaient de le quitter.

Puis, croisant les bras, l'Ami du peuple contempla la bayadère avec tendresse.

IV

Je laissai retomber le rideau et me trouvai dans le temple. C'était une sorte de chambre longue et étroite, sans aucun siège, aux murs de toile, éclairée par un seul quinquet[1]. Quelques personnes, des filles curieuses, des garçons faisant tapage, s'y trouvaient déjà réunies. Tout se passait d'ailleurs avec la plus grande décence : une corde, tendue au milieu de la pièce, séparait les hommes des femmes.

Le Miroir d'amour, à vrai dire, n'était autre chose que deux glaces sans tain, une dans chaque compartiment, petites vitres rondes donnant sur l'intérieur de la baraque. Le miracle promis s'accomplissait avec une admirable simplicité : il suffisait d'appliquer l'œil droit contre la vitre, et au-delà, sans qu'il soit question de tonnerre ni de soufre, apparaissait la bien-aimée. Comment ne pas croire à une vision aussi naturelle !

Je ne me sentis pas la force de tenter l'épreuve dès l'entrée. La bayadère m'avait regardé au passage, d'un regard qui me donnait froid au cœur. Savais-je, moi, ce qui m'attendait derrière cette vitre : peut-être un horrible visage, aux yeux éteints, aux lèvres violettes ; une centenaire avide de jeune sang, une de ces créatures difformes que je vois, la nuit, passer dans mes mauvais rêves. Je ne croyais plus aux

---

1. Quinquet : lampe à huile à double courant d'air, où le réservoir est plus haut que la mèche.

blondes créations dont je peuple charitablement mon désert. Je me rappelais toutes les laides qui me témoignent quelque affection, et je me demandais avec terreur si ce n'était pas une de ces laides que j'allais voir apparaître.

Je me retirai dans un coin. Pour reprendre courage, je regardai ceux qui, plus hardis que moi, consultaient le destin, sans tant de façons. Je ne tardai pas à goûter un singulier plaisir au spectacle de ces diverses figures, l'œil droit grand ouvert, le gauche fermé avec deux doigts, ayant chacune leur sourire, selon que la vision plaisait plus ou moins. La vitre se trouvant un peu basse, il fallait se courber légèrement. Rien ne me parut plus grotesque que ces hommes venant à la file voir l'âme sœur de leur âme par un trou de quelques centimètres de tour.

Deux soldats s'avancèrent d'abord : un sergent bruni au soleil d'Afrique, et un jeune conscrit, garçon sentant encore le labour, les bras gênés dans une capote trois fois trop grande. Le sergent eut un rire sceptique. Le conscrit demeura longtemps courbé, singulièrement flatté d'avoir une bonne amie.

Puis vint un gros homme en veste blanche, à la face rouge et bouffie, qui regarda tranquillement, sans grimace de joie ni de déplaisir, comme s'il eût été tout naturel qu'il pût être aimé de quelqu'un.

Il fut suivi par trois écoliers, bonshommes de quinze ou seize ans, à la mine effrontée, se poussant pour faire accroire qu'ils avaient l'honneur d'être ivres. Tous trois jurèrent qu'ils reconnaissaient leur tante.

Ainsi les curieux se succédaient devant la vitre, et je ne saurais me rappeler aujourd'hui les différentes expressions de physionomie qui me frappèrent alors. Ô vision de la bien-aimée ! quelles rudes vérités tu faisais dire à ces yeux grands ouverts ! Ils étaient les vrais Miroirs d'amour, Miroirs où la grâce de la femme se reflétait en une lueur louche où la luxure s'étalait dans de la bêtise.

V

Les filles, à l'autre carreau, s'égayaient d'une plus honnête façon. Je ne lisais que beaucoup de curiosité sur leurs visages ; pas le moindre vilain désir, pas la plus petite méchante pensée. Elles venaient tour à tour jeter un regard étonné par l'étroite ouverture, et se retiraient, les unes un peu songeuses, les autres riant comme des folles.

À vrai dire, je ne sais trop ce qu'elles faisaient là. Je serais femme, si peu que je fusse jolie, que je n'aurais jamais la sotte idée de me déranger pour aller voir l'homme qui m'aime. Les jours où mon cœur pleurerait d'être seul, ces jours-là sont jours de printemps et de beau soleil, je m'en irais dans un sentier en fleurs me faire adorer de chaque passant. Le soir, je reviendrais riche d'amour.

Certes, mes curieuses n'étaient pas toutes également jolies. Les belles se moquaient bien de la science du magicien, depuis longtemps elles n'avaient plus besoin de lui. Les laides, au contraire, ne s'étaient jamais trouvées à pareille fête. Il en vint une, aux cheveux rares, à la bouche grande, qui ne pouvait s'éloigner du miroir magique ; elle gardait aux lèvres le sourire joyeux et navrant du pauvre apaisant sa faim après un long jeûne.

Je me demandai quelles belles idées s'éveillaient dans ces têtes folles. Ce n'était pas un mince problème. Toutes avaient, à coup sûr, vu en songe un prince se mettre à leurs genoux ; toutes désiraient mieux connaître l'amant dont elles se souvenaient confusément au réveil. Il y eut sans doute beaucoup de déceptions ; les princes deviennent rares, et les yeux de notre âme, qui s'ouvrent la nuit sur un monde meilleur, sont des yeux bien autrement complaisants que ceux dont nous nous servons le jour. Il y eut aussi de grandes joies ; le songe se réalisait, l'amant avait la fine moustache et la noire chevelure rêvées.

Ainsi chacune, dans quelques secondes, vivait une vie d'amour. Romans naïfs, rapides comme l'espérance, qui se devinaient dans la rougeur des joues et dans les frissons plus amoureux du corsage.

Après tout, ces filles étaient peut-être des sottes, et je suis un sot moi-même d'avoir vu tant de choses, lorsqu'il n'y avait sans doute rien à voir. Toutefois, je me rassurai complètement à les étudier. Je remarquai qu'hommes et femmes paraissaient en général fort satisfaits de l'apparition. Le magicien n'aurait certes jamais eu le mauvais cœur de causer le moindre déplaisir à de braves gens qui lui donnaient deux sous.

Je m'approchai, j'appliquai, sans trop d'émotion, mon œil droit contre la vitre. J'aperçus, entre deux grands rideaux rouges, une femme accoudée au dossier d'un fauteuil. Elle était vivement éclairée par des quinquets que je ne pouvais voir, et se détachait sur une toile peinte, tendue au fond ; cette toile, coupée par endroits, avait dû représenter jadis un galant bocage d'arbres bleus.

Celle qui m'aime portait, en vision bien née, une longue robe blanche, à peine serrée à la taille, traînant sur le plancher en façon de nuage. Elle avait au front un large voile également blanc, retenu par une couronne de fleurs d'aubépine. Le cher ange était, ainsi vêtu, toute blancheur, toute innocence.

Elle s'appuyait coquettement, tournant les yeux vers moi, de grands yeux bleus caressants. Elle me parut ravissante sous le voile : tresses blondes perdues dans la mousseline [1], front candide de vierge, lèvres délicates, fossettes qui sont nids à baisers. Au premier regard, je la pris pour une sainte ; au second, je lui trouvai un air bonne fille, point bégueule du tout et fort accommodant [2].

---

1. Mousseline : toile de coton claire, fine et légère.

2. On retrouve ici l'oscillation romantique et baudelairienne entre idéal et spleen, qui fait notamment de la femme, perçue à travers le filtre d'un désir masculin schizophrène, l'ange ou la bête. Voir de nombreux poèmes des *Fleurs du Mal*, comme « L'Irréparable », LIV : « Mais mon cœur, que jamais ne visite l'extase,/Est un théâtre où l'on attend/Toujours, toujours en vain,/l'Être aux ailes de gaze ! »

Elle porta trois doigts à ses lèvres, et m'envoya un baiser, avec une révérence qui ne se sentait aucunement du royaume des ombres. Voyant qu'elle ne se décidait pas à s'envoler, je fixai ses traits dans ma mémoire, et je me retirai.

Comme je sortais, je vis entrer l'Ami du peuple. Ce grave moraliste, qui parut m'éviter, courut donner le mauvais exemple d'une coupable curiosité. Sa longue échine, courbée en demi-cercle, frémit de désir ; puis, ne pouvant aller plus loin, il baisa le verre magique.

VI

Je descendis les trois planches, je me trouvai de nouveau dans la foule, décidé à chercher Celle qui m'aime, maintenant que je connaissais son sourire.

Les lampions fumaient, le tumulte croissait, le peuple se pressait à renverser les baraques. La fête en était à cette heure de joie idéale, où l'on risque d'avoir le bonheur d'être étouffé.

J'avais, en me dressant, un horizon de bonnets de linge et de chapeaux de soie. J'avançais, poussant les hommes, tournant avec précaution les grandes jupes des dames. Peut-être était-ce cette capote rose ; peut-être cette coiffe de tulle ornée de rubans mauves ; peut-être cette délicieuse toque de paille à plume d'autruche. Hélas ! la capote avait soixante ans ; la coiffe, abominablement laide, s'appuyait amoureusement à l'épaule d'un sapeur[1] ; la toque riait aux éclats, agrandissant les plus beaux yeux du monde, et je ne reconnaissais point ces beaux yeux.

Il y a, au-dessus des foules, je ne sais quelle angoisse, quelle immense tristesse, comme s'il se dégageait de la multitude un souffle de terreur et de pitié. Jamais je ne me suis trouvé dans un grand rassemblement de peuple sans éprouver un vague

---

1. Sapeur : soldat affecté aux travaux du génie, au terrassement, aux constructions.

malaise. Il me semble qu'un épouvantable malheur menace ces hommes réunis, qu'un seul éclair va suffire, dans l'exaltation de leurs gestes et de leurs voix, pour les frapper d'immobilité, d'éternel silence [1].

Peu à peu, je ralentis le pas, regardant cette joie qui me navrait. Au pied d'un arbre, en plein dans la lumière jaune des lampions, se tenait debout un vieux mendiant, le corps roidi, horriblement tordu par une paralysie. Il levait vers les passants sa face blême, clignant les yeux d'une façon lamentable, pour mieux exciter la pitié. Il donnait à ses membres de brusques frissons de fièvre, qui le secouaient comme une branche sèche. Les jeunes filles, fraîches et rougissantes, passaient en riant devant ce hideux spectacle.

Plus loin, à la porte d'un cabaret, deux ouvriers se battaient. Dans la lutte, les verres avaient été renversés, et à voir couler le vin sur le trottoir, on eût dit le sang de larges blessures.

Les rires me parurent se changer en sanglots, les lumières devinrent un vaste incendie, la foule tourna, frappée d'épouvante. J'allais, me sentant triste à mourir, interrogeant les jeunes visages, et ne pouvant trouver Celle qui m'aime.

VII

Je vis un homme debout devant un des poteaux qui portaient les lampions, et le considérant d'un air profondément absorbé. À ses regards inquiets, je crus comprendre qu'il cherchait la solution de quelque grave problème. Cet homme était l'Ami du peuple.

---

1. On rapprochera ce passage du texte de Baudelaire, « L'artiste, homme du monde, homme des foules et enfant », dans son essai sur *Le Peintre de la vie moderne*, paru dans *Le Figaro* en novembre 1863. La coïncidence des dates est intéressante. Zola, qui est aussi amateur de peinture, a sans doute lu de près les articles dans lesquels Baudelaire définit la modernité comme « le transitoire, le fugitif, le contingent [...] dont les métamorphoses sont si fréquentes » (Baudelaire, *Œuvres complètes*, éd. Claude Pichois, Gallimard, « Bibliothèque de la Pléiade », 1976, t. II, p. 683-724).

Ayant tourné la tête, il m'aperçut.

« Monsieur, me dit-il, l'huile employée dans les fêtes coûte vingt sous le litre. Dans un litre, il y a vingt godets comme ceux que vous voyez là : soit un sou d'huile par godet. Or, ce poteau a seize rangs de huit godets chacun : cent vingt-huit godets en tout. De plus – suivez bien mes calculs –, j'ai compté soixante poteaux semblables dans l'avenue, ce qui fait sept mille six cent quatre-vingts godets, ce qui fait par conséquent sept mille six cent quatre-vingts sous, ou mieux trois cent quatre-vingt-quatre francs. »

En parlant ainsi, l'Ami du peuple gesticulait, appuyant de la voix sur les chiffres, courbant sa longue taille, comme pour se mettre à la portée de mon faible entendement. Quand il se tut, il se renversa triomphalement en arrière ; puis, il croisa les bras, me regardant en face d'un air pénétré.

« Trois cent quatre-vingt-quatre francs d'huile ! s'écria-t-il, en scandant chaque syllabe, et le pauvre peuple manque de pain, monsieur ! Je vous le demande, et je vous le demande les larmes aux yeux, ne serait-il pas plus honorable pour l'humanité, de distribuer ces trois cent quatre-vingt-quatre francs aux trois mille indigents que l'on compte dans ce faubourg ? Une mesure aussi charitable donnerait à chacun d'eux environ deux sous et demi de pain. Cette pensée est faite pour faire réfléchir les âmes tendres, monsieur. »

Voyant que je le regardais curieusement, il continua d'une voix mourante, en assurant ses gants entre ses doigts :

« Le pauvre ne doit pas rire, monsieur. Il est tout à fait déshonnête qu'il oublie sa pauvreté pendant une heure. Qui donc pleurerait sur les malheurs du peuple, si le gouvernement lui donnait souvent de pareilles saturnales [1] ? »

---

1. Zola se moque évidemment du romantisme social, qui fige le « pauvre » dans des clichés littéraires activant les registres du pathétique et du larmoyant.

Il essuya une larme et me quitta. Je le vis entrer chez un marchand de vin, où il noya son émotion dans cinq ou six petits verres pris coup sur coup sur le comptoir.

VIII

Le dernier lampion venait de s'éteindre. La foule s'en était allée. Aux clartés vacillantes des réverbères, je ne voyais plus errer sous les arbres que quelques formes noires, couples d'amoureux attardés, ivrognes et sergents de ville promenant leur mélancolie. Les baraques s'allongeaient grises et muettes, aux deux bords de l'avenue, comme les tentes d'un camp désert.

Le vent du matin, un vent humide de rosée, donnait un frisson aux feuilles des ormes. Les émanations âcres de la soirée avaient fait place à une fraîcheur délicieuse. Le silence attendri, l'ombre transparente de l'infini tombaient lentement des profondeurs du ciel, et la fête des étoiles succédait à la fête des lampions. Les honnêtes gens allaient enfin pouvoir se divertir un peu.

Je me sentais tout ragaillardi, l'heure de mes joies étant venue. Je marchais d'un bon pas, montant et descendant les allées, lorsque je vis une ombre grise glisser le long des maisons. Cette ombre venait à moi, rapidement, sans paraître me voir ; à la légèreté de la démarche, au rythme cadencé des vêtements, je reconnus une femme.

Elle allait me heurter, quand elle leva instinctivement les yeux. Son visage m'apparut à la lueur d'une lanterne voisine, et voilà que je reconnus Celle qui m'aime : non pas l'immortelle au blanc nuage de mousseline, mais une pauvre fille de la terre, vêtue d'indienne déteinte. Dans sa misère, elle me parut charmante encore, bien que pâle et fatiguée. Je ne pouvais douter : c'étaient là les grands yeux, les lèvres caressantes de la vision ; et c'était de plus, à la voir

ainsi de près, la suavité de traits que donne la souffrance.

Comme elle s'arrêtait une seconde, je saisis sa
main, que je baisai. Elle leva la tête et me sourit
vaguement, sans chercher à retirer ses doigts. Me
voyant rester muet, l'émotion me serrant à la gorge,
elle haussa les épaules, en reprenant sa marche
rapide.

Je courus à elle, je l'accompagnai, mon bras serré
à sa taille. Elle eut un rire silencieux ; puis frissonna
et dit à voix basse :

« J'ai froid : marchons vite. »

Pauvre ange, elle avait froid ! Sous le mince châle
noir, ses épaules tremblaient au vent frais de la nuit.
Je l'embrassai sur le front, je lui demandai doucement :

« Me connais-tu ? »

Une troisième fois, elle leva les yeux, et sans
hésiter :

« Non », me répondit-elle.

Je ne sais quel rapide raisonnement se fit dans
mon esprit. À mon tour je frissonnai.

« Où allons-nous ? » lui demandai-je de nouveau.

Elle haussa les épaules, avec une petite moue
d'insouciance ; elle me dit de sa voix d'enfant :

« Mais où tu voudras, chez moi, chez toi, peu
importe. »

IX

Nous marchions toujours, descendant l'avenue.

J'aperçus sur un banc deux soldats, dont l'un discourait gravement, tandis que l'autre écoutait avec
respect. C'était le sergent et le conscrit. Le sergent,
qui me parut très ému, m'adressa un salut moqueur,
en murmurant :

« Les riches prêtent parfois, monsieur. »

Le conscrit, âme tendre et naïve, me dit d'un ton
dolent :

« Je n'avais qu'elle, monsieur : vous me volez Celle qui m'aime. »

Je traversai la route et pris l'autre allée.

Trois gamins venaient à nous, se tenant par les bras et chantant à tue-tête. Je reconnus les écoliers. Les petits malheureux n'avaient plus besoin de feindre l'ivresse. Ils s'arrêtèrent, pouffant de rire, puis me suivirent quelques pas, me criant chacun d'une voix mal assurée :

« Hé ! monsieur, madame vous trompe, madame est Celle qui m'aime ! »

Je sentais une sueur froide mouiller mes tempes. Je précipitais mes pas, ayant hâte de fuir, ne pensant plus à cette femme que j'emportais dans mes bras. Au bout de l'avenue, comme j'allais enfin quitter ce lieu maudit, je heurtai, en descendant du trottoir, un homme commodément assis dans le ruisseau. Il appuyait la tête sur la dalle, la face tournée vers le ciel, se livrant sur ses doigts à un calcul fort compliqué.

Il tourna les yeux, et, sans quitter l'oreiller :

« Ah ! c'est vous, monsieur, me dit-il en balbutiant. Vous devriez bien m'aider à compter les étoiles. J'en ai déjà trouvé plusieurs millions, mais je crains d'en oublier quelqu'une. C'est de la statistique seule, monsieur, que dépend le bonheur de l'humanité. »

Un hoquet l'interrompit. Il reprit en larmoyant :

« Savez-vous combien coûte une étoile ? Sûrement le bon Dieu a fait là-haut une grosse dépense, et le peuple manque de pain, monsieur ! À quoi bon ces lampions ? Est-ce que cela se mange ? Quelle en est l'application pratique, je vous prie ? Nous avions bien besoin de cette fête éternelle. Allez, Dieu n'a jamais eu la moindre teinte d'économie sociale. »

Il avait réussi à se mettre sur son séant ; il promenait autour de lui des regards troubles, hochant la tête d'un air indigné. C'est alors qu'il vint à apercevoir ma compagne. Il tressaillit, et, le visage pourpre, tendit avidement les bras.

« Eh ! eh ! reprit-il, c'est Celle qui m'aime. »

X

....
....

« Voici, me dit-elle, je suis pauvre, je fais ce que je peux pour manger. L'hiver dernier, je passais quinze heures courbée sur un métier, et je n'avais pas du pain tous les jours. Au printemps, j'ai jeté mon aiguille par la fenêtre. Je venais de trouver une occupation moins fatigante et plus lucrative.

« Je m'habille chaque soir de mousseline blanche. Seule dans une sorte de réduit, appuyée au dossier d'un fauteuil, j'ai pour tout travail à sourire depuis six heures jusqu'à minuit. De temps à autre, je fais une révérence, j'envoie un baiser dans le vide. On me paie cela trois francs par séance.

« En face de moi, derrière une petite vitre enchâssée dans la cloison, je vois sans cesse un œil qui me regarde. Il est tantôt noir, tantôt bleu. Sans cet œil, je serais parfaitement heureuse ; il gâte le métier. Par moments, à le rencontrer toujours seul et fixe, il me prend de folles terreurs ; je suis tentée de crier et de fuir.

« Mais il faut bien travailler pour vivre. Je souris, je salue, j'envoie un baiser. À minuit, j'efface mon rouge et je remets ma robe d'indienne. Bah ! que de femmes, sans y être forcées, font ainsi les gracieuses devant un mur [1]. »

---

1. Cette esquisse d'une analyse sociale des causes de la misère et de la prostitution ira en s'amplifiant dans les chroniques et les romans de Zola, jusqu'à *L'Assommoir* (1877) et *Nana* (1880).

SŒUR-DES-PAUVRES [1]

I

À dix ans, elle paraissait si chétive, la pauvre
enfant, que c'était pitié de la voir travailler autant
qu'une servante de ferme. Elle avait les grands yeux
étonnés, le sourire triste des gens qui souffrent sans
se plaindre. Les riches fermiers qui, le soir, la ren-
contraient au sortir du bois, mal vêtue, chargée d'un
lourd fardeau, lui offraient parfois, lorsque le grain
s'était bien vendu, de lui acheter un bon jupon de
grosse futaine [2]. Et alors elle répondait : « Je sais,
sous le porche de l'église, un pauvre vieux qui n'a
qu'une blouse, par ce grand froid de décembre ;
achetez-lui une veste de drap, et j'aurai chaud
demain, à le voir si bien couvert. » Ce qui lui avait
fait donner le surnom de Sœur-des-Pauvres ; et les

---

1. Ce récit est le septième et avant-dernier des *Contes à Ninon*,
où il paraît pour la première fois. Paul Alexis, dans sa biographie
Émile Zola. Notes d'un ami, rapporte : « M. Hachette lui ayant
demandé une nouvelle pour un journal d'enfants que publiait sa
librairie, Zola écrivit *Sœur-des-Pauvres*. L'éditeur, après avoir lu
ce conte, fit encore venir l'auteur dans le fameux cabinet, où il
lui dit ce mot singulier : "Vous êtes un révolté !" La nouvelle,
jugée trop révolutionnaire, ne fut pas imprimée. On peut la lire
dans les *Contes à Ninon* » (*Émile Zola. Notes d'un ami*, Charpentier,
1882, p. 61). Après la réédition des *Contes à Ninon* en 1874, *Sœurs-
des-Pauvres* sera publié en 1877 dans le supplément littéraire du
Figaro du dimanche 15 juillet.
2. Futaine : étoffe pelucheuse de fil ou de coton, qui servait
surtout à faire des jupons et des doublures.

uns la nommaient ainsi, en dérision de ses mauvaises jupes ; les autres, en récompense de son bon cœur.

Sœur-des-Pauvres avait eu jadis un fin berceau de dentelle et des jouets à remplir une chambre. Puis, un matin, sa mère ne vint pas l'embrasser au lever. Comme elle pleurait de ne point la voir, on lui dit qu'une sainte du bon Dieu l'avait emmenée au paradis, ce qui sécha ses larmes. Un mois auparavant, son père était ainsi parti. La chère petite pensa qu'il venait d'appeler sa mère dans le ciel, et que, réunis tous deux, ne pouvant vivre sans leur fille, ils lui enverraient bientôt un ange pour l'emporter à son tour.

Elle ne se rappelait plus comment elle avait perdu ses jouets et son berceau. De riche demoiselle elle devint pauvre fille, cela sans que personne en parût étonné : sans doute des méchants étaient venus qui l'avaient dépouillée en honnêtes gens. Elle se souvenait seulement d'avoir vu, un matin, auprès de sa couche, son oncle Guillaume et sa tante Guillaumette. Elle eut grand-peur, parce qu'ils ne l'embrassèrent point. Guillaumette la vêtit à la hâte d'une étoffe grossière ; Guillaume, la tenant par la main, l'emmena dans la misérable cabane où elle vivait maintenant. Puis c'était tout. Elle se sentait bien lasse chaque soir [1].

Guillaume et Guillaumette, eux aussi, avaient possédé de grandes richesses, autrefois. Mais Guillaume aimait les joyeux convives, les nuits passées à boire, sans songer aux tonneaux qui s'épuisent ; Guillaumette aimait les rubans, les robes

---

1. Outre l'inspiration évidente du conte de fées à la Perrault, il faut rapprocher le personnage de celui de Cosette dans *Les Misérables* (paru entre mars et mai 1862) et, comme l'indique Colette Becker dans ses *Apprentissages de Zola* (PUF, 1993), souligner les ressemblances avec la Jeanne d'Arc de Michelet, cette « fille jeune et simple », qui « aimait toute chose [...] jusqu'aux animaux : les oiseaux se fiaient à elle, jusqu'à lui venir manger dans la main. Elle aimait ses amies, ses parents, mais surtout les pauvres », Jules Michelet, *Jeanne d'Arc (1412-1432)*, Hachette, 1853, p. VIII.

de soie, les longues heures perdues à tâcher vainement de se faire jeune et belle ; si bien qu'un jour le vin manqua à la cave, et que le miroir fut vendu pour acheter du pain. Jusqu'alors, ils avaient eu cette bonté de certains riches, qui souvent n'est qu'un effet du bien-être et du contentement de soi ; ils sentaient plus profondément le bonheur en le partageant avec autrui et mêlant ainsi beaucoup d'égoïsme à leur charité. Aussi ne surent-ils pas souffrir et rester bons ; regrettant les biens qu'ils avaient perdus, n'ayant plus de larmes que pour leur misère, ils devinrent durs envers le pauvre monde [1].

Ils oubliaient que leur pauvreté était leur œuvre, ils accusaient chacun de leur ruine, et se sentaient au cœur un grand besoin de vengeance, exaspérés de leur pain noir, cherchant à se consoler en voyant une plus grande souffrance que la leur.

Aussi se plaisaient-ils aux haillons de Sœur-des-Pauvres, à ses petites joues amincies, toutes blanches de larmes. Ils ne s'avouaient pas la joie mauvaise qu'ils prenaient à la faiblesse de cette enfant, lorsque, au retour de la fontaine, elle chancelait, tenant à deux mains la lourde cruche. Ils la battaient pour une goutte d'eau versée, disant qu'il fallait corriger les mauvais caractères ; et ils frappaient avec tant de hâte et de rancune qu'on voyait aisément que ce n'était pas là une juste correction.

Sœur-des-Pauvres souffrait toute leur misère. Ils la chargeaient des travaux les plus fatigants, l'envoyaient glaner au soleil de midi et ramasser du bois mort par les temps de neige. Puis, aussitôt rentrée, elle avait à balayer, à laver, à mettre chaque

---

1. Même s'il est nimbé de merveilleux (chrétien), le conte de Zola traduit des préoccupations sociales d'actualité et démonte les mécanismes qui régissent les rapports entre les pauvres et les riches sous le second Empire. Cette critique acerbe des injustices et des inégalités, qui passe par la défense des « pauvres » et la condamnation de la bonne conscience des « riches », rythme l'ensemble de l'œuvre zolienne, de part et d'autre du pic de *L'Assommoir* (1877).

chose en ordre dans la cabane. La chère petite ne se plaignait plus. Les jours de bonheur étaient si loin d'elle, qu'elle ne savait pas qu'on peut vivre sans pleurer. Elle ne songeait jamais qu'il y avait des demoiselles rieuses et caressées ; dans son ignorance des jouets et des baisers, elle acceptait les coups et le pain sec de chaque soir, comme faisant également partie de la vie. Et cela surprenait les hommes sages, de voir une enfant de dix ans montrer une grande pitié pour toutes les souffrances, sans paraître songer à sa propre infortune [1].

Or, un soir, je ne sais quel saint fêtaient Guillaume et Guillaumette, ils lui donnèrent un beau sou neuf en lui permettant d'aller jouer le restant du jour. Sœur-des-Pauvres descendit lentement à la ville, bien embarrassée de son sou, ne sachant que faire pour jouer. Elle arriva ainsi dans la grande rue. Il y avait là, à gauche, près de l'église, une boutique pleine de bonbons et de poupées, si belle la nuit aux lumières, que les enfants de la contrée en rêvaient comme d'un paradis. Ce soir-là, un groupe de marmots, bouche béante, muets d'admiration, se tenait sur le trottoir, les mains appuyées aux vitres, le plus près possible des merveilles de l'étalage. Sœur-des-Pauvres envia leur audace. Elle s'arrêta au milieu de la rue, laissant pendre ses petits bras, ramenant ses haillons que le vent écartait. Un peu fière d'être riche, elle serrait bien fort son beau sou neuf et choisissait du regard le jouet qu'elle allait acheter. Enfin elle se décida pour une poupée qui avait des cheveux comme une grande personne ; cette poupée, qui était bien haute comme elle, portait une robe de soie blanche, pareille à celle de la Sainte Vierge.

La fillette avança de quelques pas. Honteuse, comme elle regardait autour d'elle, avant d'entrer, elle aperçut sur un banc de pierre, en face de la belle

---

1. Dans *L'Assommoir*, Zola ira beaucoup plus loin dans l'évocation pathétique de l'enfant martyr, avec le personnage de la petite Lalie Bijard, torturée et massacrée par son père alcoolique.

boutique, une femme mal vêtue, berçant dans ses bras un enfant qui pleurait. Elle s'arrêta de nouveau, tournant le dos à la poupée. Aux cris de l'enfant, ses mains se croisèrent de pitié ; et, sans honte cette fois, elle s'approcha rapidement pour donner son beau sou neuf à la pauvre femme.

Cette dernière, depuis quelques instants, regardait Sœur-des-Pauvres. Elle l'avait vue s'arrêter, puis s'avancer vers les jouets ; de sorte que, lorsque l'enfant vint à elle, elle comprit son bon cœur. Elle prit le sou, les yeux humides ; puis, elle retint dans la sienne la petite main qui le lui donnait.

« Ma fille, dit-elle, j'accepte ton aumône, parce que je vois bien qu'un refus te chagrinerait. Mais, toi-même, ne désires-tu rien ? Toute mal vêtue que je suis, je puis contenter un de tes vœux. »

Pendant qu'elle parlait ainsi, les yeux de la pauvresse brillaient, pareils à des étoiles, tandis que, autour de sa tête, courait une flamme, comme une couronne faite d'un rayon de soleil. L'enfant, maintenant endormi sur ses genoux, souriait divinement dans son repos.

Sœur-des-Pauvres secoua sa tête blonde.

« Non, madame, répondit-elle, je n'ai aucun désir. Je voulais acheter cette poupée que vous voyez en face, mais ma tante Guillaumette me l'aurait brisée. Puisque vous ne voulez pas de mon sou pour rien, j'aime mieux que vous me donniez un bon baiser en échange. »

La mendiante se pencha et la baisa au front. À cette caresse, Sœur-des-Pauvres se sentit soulevée de terre ; il lui sembla que son éternelle fatigue s'en était allée ; en même temps, il lui vint au cœur une plus grande bonté.

« Ma fille, ajouta l'inconnue, je ne veux pas que ton aumône reste sans récompense. J'ai, comme toi, un sou dont je ne savais que faire, avant de te rencontrer. Des princes, des grandes dames, m'ont jeté des bourses d'or, et je ne les ai pas jugés dignes de le posséder. Prends-le. Quoi qu'il arrive, agis selon ton cœur. »

Et elle le lui donna. C'était un vieux sou de cuivre jaune, rongé sur les bords, percé au milieu d'un trou large comme une grosse lentille. Il était si usé, qu'on ne pouvait savoir de quel pays il venait, si ce n'est qu'on voyait encore, sur une des faces, une couronne de rayons à demi effacée. C'était peut-être là quelque monnaie des cieux.

Sœur-des-Pauvres, le voyant si mince, tendit la main, comprenant qu'un tel cadeau ne portait point préjudice à la mendiante, et le considérant comme un souvenir d'amitié qu'elle lui laissait.

« Hélas ! pensait-elle, la pauvre femme ne sait ce qu'elle dit. Les princes, les belles dames n'ont que faire de son sou. Il est si laid qu'il ne paierait pas seulement une once de pain. Je ne vais pas même pouvoir le donner à un pauvre. »

La femme, dont les yeux brillaient de plus en plus, sourit, comme si l'enfant eût parlé tout haut. Elle lui dit doucement :

« Prends-le toujours, et tu verras. »

Alors Sœur-des-Pauvres l'accepta, pour ne pas la désobliger. Elle baissa la tête, afin de le mettre dans la poche de sa jupe ; lorsqu'elle la releva, le banc était vide. Elle fut grandement étonnée et s'en revint, toute songeuse de la rencontre qu'elle venait de faire.

II

Sœur-des-Pauvres couchait au grenier, dans une sorte de soupente, où gisaient pêle-mêle des débris de vieux meubles. Les jours de lune, grâce à une étroite lucarne, elle voyait clair à se mettre au lit. Les autres jours, elle gagnait sa couche à tâtons, pauvre couche faite de quatre planches mal jointes et d'une paillasse dont les toiles se touchaient par endroits.

Or, ce soir-là, la lune était dans son plein. Une raie lumineuse s'allongeait sur les poutres, emplissant le grenier de clarté.

Lorsque Guillaume et Guillaumette furent couchés, Sœur-des-Pauvres monta. Par les nuits sombres, elle avait parfois grand-peur des subits gémissements, des bruits de pas qu'elle croyait entendre, et qui n'étaient autre chose que les craquements des charpentes et que les courses rapides des souris. Aussi aimait-elle d'un amour fervent le bel astre dont les rayons amis dissipaient ses frayeurs. Les soirs où il brillait, elle ouvrait la lucarne, elle le remerciait dans ses prières d'être revenu la voir.

Elle fut toute satisfaite de trouver de la lumière chez elle. Elle était fatiguée, elle allait dormir bien tranquille, se sentant gardée par sa bonne amie la lune. Souvent elle l'avait sentie, dans son sommeil, se promener ainsi par la chambre, silencieuse et douce, mettant en fuite les vilains songes des nuits d'hiver.

Elle alla vite s'agenouiller sur un vieux coffre, en plein dans la blonde clarté. Là, elle pria le bon Dieu. Puis, s'approchant du lit, elle dégrafa sa jupe.

La jupe glissa à terre, mais voilà qu'elle laissa échapper par la poche entrouverte une pluie de gros sous. Sœur-des-Pauvres les regarda rouler, immobile, effrayée.

Elle se baissa, les ramassa un à un, les prenant du bout des doigts. Elle les empilait sur le vieux coffre, sans chercher à connaître leur nombre, car elle ne savait compter que jusqu'à cinquante, et elle voyait bien qu'il y en avait là plusieurs centaines. Quand elle n'en trouva plus sur le sol, ayant soulevé la jupe, elle comprit à son poids que la poche était encore pleine. Pendant un grand quart d'heure, elle en tira des poignées de sous, désespérant de jamais trouver le fond. Enfin elle n'en sentit plus qu'un. L'ayant pris, elle le reconnut : c'était le sou que la mendiante lui avait donné le soir même.

Elle se dit alors que le bon Dieu venait de faire un miracle, et que ce vilain sou qu'elle avait dédaigné, était un sou comme les riches n'en ont pas. Elle le sentait frémir entre ses doigts, prêt à se multiplier encore. Aussi tremblait-elle qu'il ne lui prît fantaisie d'emplir le grenier de richesses. Elle ne savait déjà que faire de ces piles de monnaie neuve qui brillaient au clair de lune. Troublée, elle regardait autour d'elle.

En bonne travailleuse, elle avait toujours du fil et une aiguille dans la poche de son tablier. Elle chercha un morceau de vieille toile pour faire un sac. Elle le fit si étroit, que sa petite main pouvait à peine entrer dedans ; l'étoffe manquait ; d'ailleurs, Sœur-des-Pauvres était pressée. Puis, ayant mis tout au fond le sou de la pauvresse, elle commença, pile par pile, à glisser dans la bourse les pièces qui couvraient le coffre. Chaque pile en tombant emplissait le sac, et aussitôt le sac redevenait vide. Les centaines de gros sous y tinrent fort à l'aise. Il était facile de voir qu'il en aurait contenu quatre fois davantage.

Après quoi, Sœur-des-Pauvres fatiguée le cacha sous la paillasse, et s'endormit. Elle riait dans ses rêves, songeant aux grandes aumônes qu'elle allait pouvoir distribuer le lendemain.

III

Le matin, en s'éveillant, Sœur-des-Pauvres pensa avoir rêvé. Il lui fallut toucher son trésor pour croire à sa réalité. Il était un peu plus lourd que la veille, ce qui fit comprendre à l'enfant que le sou merveilleux avait encore travaillé pendant la nuit.

Elle se vêtit à la hâte, elle descendit, ses sabots à la main, pour ne point faire de bruit. Elle avait caché le sac sous son fichu, le serrant contre sa poitrine. Guillaume et Guillaumette, profondément endormis, ne l'entendirent pas. Elle dut passer devant leur lit, elle faillit tomber de peur de les savoir aussi près d'elle ; puis elle se prit à courir, ouvrit la porte toute grande, et s'enfuit, oubliant de la refermer.

On était en hiver, aux matinées les plus froides de décembre. Le jour naissait à peine. Le ciel, aux pâles clartés de cette aurore, semblait de même couleur que la terre, couverte de neige. Cette blancheur universelle qui emplissait l'horizon, avait un grand calme. Sœur-des-Pauvres marchait vite, suivant le sentier qui conduisait à la ville. Elle n'entendait que le craquement de ses sabots dans la neige. Bien que grandement préoccupée, elle choisissait par amusement les ornières les plus profondes.

Comme elle approchait, elle se souvint que, dans sa hâte, elle avait oublié de prier Dieu. Elle s'agenouilla sur le bord du sentier. Là, seule, perdue dans cette immense et triste sérénité de la nature endormie, elle dit son oraison avec cette voix d'enfant, si douce, que Dieu ne sait la distinguer de celle des anges. Elle se dressa bientôt. Le froid l'ayant saisie, elle pressa le pas.

Il y avait grande misère dans le pays, surtout cette année-là, où l'hiver était rude et le pain si cher, que les riches seuls en pouvaient acheter. Les pauvres gens, ceux qui vivent de soleil et de pitié, sortaient dès le matin pour voir si le printemps ne venait pas, ramenant avec lui des aumônes plus larges. Ils allaient par les routes ou s'asseyaient sur les bornes, aux portes des villes, implorant les passants ; car il faisait si froid, dans leurs greniers, qu'autant valait loger au grand chemin. Et ils étaient en si grand nombre, qu'on aurait pu en peupler un gros village.

Sœur-des-Pauvres avait ouvert le petit sac. En entrant dans la ville, elle vit venir à elle un aveugle conduit par une petite fille qui la regardait tristement, la prenant pour une sœur, à la voir si mal vêtue.

« Mon père, dit-elle au pauvre vieux, tendez vos mains. Jésus m'envoie vers vous. »

Elle s'adressait au bonhomme, parce que les doigts de la fillette étaient trop mignons et qu'ils

n'auraient guère contenu qu'une dizaine de gros
sous. Aussi, pour emplir les mains que l'aveugle lui
tendit, il lui fallut puiser sept fois dans le sac tant
elles étaient longues et larges. Puis, avant de s'éloigner, elle dit à la petite de prendre une dernière poignée de monnaie.

Elle avait hâte d'arriver devant l'église, près des
bancs de pierre, où les pauvres se réunissaient le
matin ; la maison de Dieu les abritait des vents du
nord ; le soleil, à son lever, donnait en plein sous le
porche. Elle dut encore s'arrêter. Au coin d'une
ruelle, elle trouva une jeune femme qui avait sans
doute passé la nuit là, tant elle était transie et grelottante ; les yeux fermés, les bras serrés sur la poitrine,
elle paraissait dormir, n'espérant plus que dans la
mort. Sœur-des-Pauvres se tenait devant elle, la
main pleine de sous, ne sachant comment lui donner
son aumône. Elle pleurait, pensant être venue trop
tard.

« Bonne femme, disait-elle – et elle la touchait
doucement à l'épaule –, tenez, prenez cet argent. Il
vous faut aller déjeuner à l'auberge et dormir devant
un grand feu. »

À cette voix douce, la bonne femme ouvrit les
yeux, les mains tendues. Elle croyait peut-être dormir encore et songer qu'un ange était descendu vers
elle.

Sœur-des-Pauvres gagna vite la grand-place. Il y
avait foule, sous le porche, pour le premier rayon.
Les mendiants, assis aux pieds des saints, tremblaient de froid, les uns auprès des autres, sans se
parler. Ils roulaient doucement la tête, comme font
les mourants. Ils se pressaient dans les coins, afin de
ne rien perdre du soleil, lorsqu'il allait paraître.

Sœur-des-Pauvres commença par la droite, jetant
des poignées de sous dans les chapeaux de feutre et
dans les tabliers, cela de si bon cœur, que bien des
pièces roulaient sur les dalles. Elle ne comptait pas,
la chère enfant. Le petit sac faisait merveille ; il ne
désemplissait pas, il se gonflait tellement à chaque

nouvelle poignée prise par la fillette, qu'il versait comme un vase trop plein. Les pauvres gens restaient ébahis de cette pluie joyeuse : ils ramassaient les sous tombés, oubliant le soleil qui se levait, disant des : « Dieu vous le rende ! » à la hâte. L'aumône était si large, que de bons vieux croyaient que les saints de pierre leur jetaient cette fortune ; ils le croient même encore.

L'enfant riait de leur joie. Elle fit trois fois le tour, afin de donner à chacun la même somme ; puis elle s'arrêta, non pas que le petit sac se trouvât vide, mais parce qu'elle avait beaucoup à faire avant le soir. Comme elle allait s'éloigner, elle aperçut dans un coin un vieillard infirme qui, ne pouvant s'approcher, tendait les mains vers elle. Triste de ne point l'avoir vu, elle s'avança, pencha le sac, pour lui donner davantage. Les sous se mirent à couler de cette méchante bourse comme l'eau d'une fontaine, sans s'arrêter, si abondamment que Sœur-des-Pauvres ferma bientôt l'ouverture avec le poing, car le tas aurait monté en peu d'instants aussi haut que l'église. Le pauvre vieux n'avait que faire de tant d'argent, et peut-être les riches seraient-ils venus le voler.

IV

Alors, ceux de la grand-place ayant les poches pleines, elle marcha vers la campagne. Les mendiants, oubliant de soulager leurs souffrances, se mirent à la suivre ; ils la regardaient avec étonnement et respect, entraînés dans un élan de fraternité. Elle, seule, regardant autour d'elle, s'avançait la première. La foule venait ensuite.

L'enfant, vêtue d'une indienne en lambeaux, était bien sœur des pauvres gens de sa suite, sœur par les haillons, sœur par la tendre pitié. Elle se trouvait là en famille, donnant à ses frères, s'oubliant elle-même ; elle marchait gravement de toute la force de

ses petits pieds, heureuse de faire la grande fille ; et
cette blondine de dix ans rayonnait d'une naïve
majesté, suivie de son escorte de vieillards [1].

L'étroite bourse à la main, elle allait de village en
village, distribuant des aumônes à toute la contrée.
Elle allait devant elle, sans choisir les chemins, prenant les routes des plaines et les sentiers des
coteaux ; puis elle s'écartait, traversant les champs,
pour voir si quelque vagabond ne s'abritait pas au
pied des haies ou dans le creux des fossés. Elle se
haussait, regardant à l'horizon, regrettant de ne pouvoir jeter un appel à toutes les misères du pays. Elle
soupirait en songeant qu'elle laissait peut-être derrière quelque souffrance ; cette crainte faisait qu'elle
revenait parfois sur ses pas pour visiter un buisson.
Et, soit qu'elle ralentît sa marche aux coudes des
chemins, soit qu'elle courût à la rencontre d'un indi-
gent, son cortège la suivait dans chacun de ses
détours.

Or, il arriva, comme elle traversait un pré, qu'une
bande de pierrots vint s'abattre devant elle. Les
pauvres petits, perdus dans la neige, chantaient
d'une façon lamentable, demandant une nourriture
qu'ils avaient cherchée en vain. Sœur-des-Pauvres
s'arrêta, interdite de rencontrer des misérables auxquels ses gros sous n'étaient d'aucun secours ; elle
regardait son sac avec colère, maudissant cet argent
qui se refusait à la charité. Cependant les pierrots
l'entouraient ; ils se disaient de la famille, ils lui
réclamaient leur part dans ses bienfaits. Près d'éclater en sanglots, ne sachant que faire, elle prit dans le
sac une poignée de sous, car elle ne pouvait se décider à les renvoyer sans aumône. La chère enfant
avait sûrement perdu la tête, s'imaginant que les
gros sous sont monnaie de pierrots, et que ces
enfants du bon Dieu ont meuniers pour moudre et
boulangers pour pétrir le pain de chaque jour. Je ne

---

1. Dans une note de présentation manuscrite, Zola parle d'« un
hymne chanté à la charité ».

sais ce qu'elle pensait faire, mais ce que personne n'ignore, c'est que l'aumône, jetée poignée de sous, tomba poignée de blé sur la terre.

Sœur-des-Pauvres ne parut pas étonnée. Elle servit un vrai festin aux pierrots, leur offrant toutes sortes de graines, en telle quantité que, le printemps venu, le pré se couvrit d'une herbe épaisse et haute comme une forêt. Depuis ce temps, ce coin de terre appartient aux oiseaux du ciel ; ils y trouvent, en toute saison, une nourriture abondante, bien qu'ils y viennent par milliers, de plus de vingt lieues à la ronde.

Sœur-des-Pauvres reprit sa marche, heureuse de son nouveau pouvoir. Elle ne se contentait plus de distribuer de gros sous ; elle donnait, selon la rencontre, de bonnes blouses bien chaudes, de lourds jupons de laine, ou encore des souliers si légers et si forts, qu'ils pesaient à peine une once et usaient les cailloux. Tout cela sortait d'une fabrique inconnue ; les étoffes étaient merveilleuses de solidité et de souplesse ; les coutures se trouvaient si finement piquées, que, dans le trou qu'aurait fait une de nos aiguilles, les aiguilles magiques avaient aisément trouvé place pour trois de leurs points ; et, ce qui n'était pas le moindre prodige, chaque vêtement prenait la taille du pauvre qui s'en couvrait. Sans doute un atelier de bonnes fées venait de s'établir au fond du sac, apportant les fins ciseaux d'or qui coupent dix robes de chérubin dans la feuille d'une rose. C'était, pour sûr, besogne du ciel, tant l'ouvrage était parfait et promptement cousu.

Le petit sac ne se montrait pas plus fier pour cela. Les bords en étaient légèrement usés, et la main de Sœur-des-Pauvres les avait peut-être un peu élargis ; maintenant, il pouvait bien être gros comme deux nids de fauvette. Pour que tu ne m'accuses pas de mensonge, il me faut te dire comment en sortaient les grands vêtements, tels que les jupes, les manteaux, amples de quatre ou cinq mètres. La vérité est qu'ils s'y trouvaient pliés sur eux-mêmes, comme

les feuilles du coquelicot quand il ne s'est pas
échappé du calice ; pliés avec tant d'art, qu'ils
n'étaient guère plus gros que le bouton de cette
fleur. Alors Sœur-des-Pauvres prenait le paquet
entre deux doigts, le secouant à petits coups ; l'étoffe
se dépliait, s'allongeait et devenait vêtement, non
plus bon pour des anges, mais propre à couvrir de
larges épaules. Quant aux souliers, je n'ai pu savoir
jusqu'à ce jour sous quelle forme ils sortaient du
sac ; j'ai ouï dire cependant, mais je n'affirme rien,
que chaque paire était contenue dans une fève qui
éclatait en touchant la terre. Tout cela, bien
entendu, sans préjudice des poignées de gros sous
qui tombaient dru comme grêle de mars.

Sœur-des-Pauvres marchait toujours. Elle ne sentait point la fatigue, bien qu'elle eût fait près de vingt
lieues [1] depuis le matin, cela sans boire ni manger.
À la voir passer sur le bord des routes, laissant à
peine trace, on eût dit qu'elle était emportée par des
ailes invisibles. On l'avait aperçue, dans ce jour, aux
quatre points du pays. Tu n'aurais pas trouvé dans
la contrée un coin de terre, plaine ou montagne,
dont la neige ne portât la légère empreinte de ses
petits pieds. Vraiment, Guillaume et Guillaumette,
s'ils la poursuivaient, risquaient de courir une bonne
semaine avant que de l'atteindre ; non pas qu'il y eût
à hésiter sur le chemin qu'elle prenait, car elle laissait foule derrière elle, comme font les rois à leur
passage ; mais parce qu'elle marchait si gaillardement qu'elle-même, en d'autres temps, n'aurait pu
faire un pareil voyage en moins de six grandes
semaines.

Et son cortège allait s'augmentant à chaque village. Tous ceux qu'elle secourait, marchaient à sa
suite, si bien que, vers le soir, la foule s'étendait derrière elle, sur une longueur de plusieurs centaines de
mètres. C'étaient ses bonnes œuvres qui la suivaient

1. Une lieue équivaut à environ quatre kilomètres.

ainsi. Jamais saint ne s'est présenté devant Dieu avec une aussi royale escorte.

Cependant, la nuit tombait. Sœur-des-Pauvres marchait toujours ; toujours le petit sac travaillait. Enfin, on vit l'enfant s'arrêter sur le sommet d'un coteau ; elle se tint immobile, regardant les plaines qu'elle venait d'enrichir, et ses haillons se détachaient en noir dans la blancheur du crépuscule. Les mendiants firent cercle autour d'elle ; ils s'agitaient par grandes masses sombres, avec le sourd frémissement des foules. Puis, le silence régna. Sœur-des-Pauvres, haute dans le ciel, souriait, ayant un peuple à ses pieds. Alors, ayant beaucoup grandi depuis le matin, debout sur le coteau, elle leva la main au ciel, disant à son peuple :

« Remerciez Jésus, remerciez Marie. »

Et tout son peuple entendit sa voix douce.

V

Il était fort tard, lorsque Sœur-des-Pauvres revint au logis. Guillaume et Guillaumette s'étaient endormis, las de colère et de menaces. Elle entra par la porte de l'étable, qui ne fermait qu'au loquet. Elle gagna vite son grenier, où elle trouva sa bonne amie la lune, si claire, si joyeuse, qu'elle paraissait connaître le bel emploi de la journée. Souvent le ciel nous remercie ainsi par de plus clairs rayons.

L'enfant se sentait grand besoin de repos. Mais, avant de se mettre au lit, elle voulut revoir le sou miraculeux, celui qui se trouvait au fond du sac. Il avait tant et si bien travaillé, qu'il méritait vraiment d'être baisé. Elle s'assit sur le coffre, elle se mit à vider la bourse, posant les poignées de monnaie à ses pieds. Un quart d'heure durant, elle tâcha d'atteindre le fond ; le tas lui montait aux genoux, et alors elle désespéra. Elle voyait bien qu'elle emplirait le grenier, sans avancer en rien la besogne. Fort embarrassée, elle ne trouva rien de mieux que de

tourner lestement le petit sac à l'envers. Il y eut un
éboulement de gros sous prodigieux ; la mansarde
en fut, du coup, pleine aux trois quarts. Le sac était
vide.

Cependant, à ce bruit, Guillaume s'éveilla. Le
cher homme, bien qu'il n'eût pas ouï dans son sommeil l'écroulement du plancher, aurait ouvert les
yeux pour un liard tombé sur les dalles. Il secoua
Guillaumette.

« Hé ! femme, dit-il, entends-tu ? »

Et comme la vieille balbutiait, de méchante
humeur :

« La petite est rentrée, reprit-il. Je crois qu'elle a
volé quelque passant, car j'entends là-haut le tinte-
ment d'une grosse bourse. »

Guillaumette se souleva, sans plus gronder et fort
éveillée. Elle alluma vite la lampe en disant :

« Je savais bien que cette fille était vicieuse. »

Puis, elle ajouta :

« Je m'achèterai une coiffe à rubans et des souliers
de coutil [1]. Dimanche, je serai fière. »

Alors tous deux, à peine vêtus, Guillaume allant le
premier, Guillaumette élevant la lampe, montèrent
à la mansarde. Leurs ombres, maigres et bizarres,
s'allongeaient le long des murs.

Au haut de l'échelle, ils s'arrêtèrent d'étonnement. Il y avait sur le sol une couche de pièces
épaisse de trois pieds, cela dans tous les coins, sans
qu'il fût possible d'apercevoir large comme la main
de plancher. Par endroits, s'élevaient des tas de
monnaie ; on eût dit les vagues de cette mer de gros
sous. Au milieu, entre deux de ces tas, dormait
Sœur-des-Pauvres, dans un rayon de lune. L'enfant,
cédant au sommeil, n'avait pu gagner son lit ; elle
s'était laissée glisser doucement ; elle rêvait du ciel,
sur cette couche faite d'aumônes. Les bras ramenés
contre la poitrine, elle tenait dans sa main droite le
magique cadeau de la mendiante. Son souffle faible

---

1. Coutil : forte toile serrée, en fil ou en coton.

et régulier s'entendait au milieu du silence ; tandis que l'astre bien-aimé, se mirant autour d'elle dans la monnaie neuve, l'entourait comme d'un cercle d'or.

Guillaume et Guillaumette n'étaient pas bonnes gens à longtemps s'étonner. Le miracle étant à leur profit, ils ne songèrent guère à l'expliquer, se souciant peu qu'il fût œuvre du bon Dieu ou du diable. Lorsqu'ils eurent un instant compté le trésor des yeux, ils voulurent s'assurer qu'il n'était pas seulement jeu de l'ombre et reflet de lune. Ils se baissèrent avidement, les mains grandes ouvertes.

Or, ce qu'il advint alors est si peu croyable, que j'hésite à le dire. À peine Guillaume eut-il pris une poignée de pièces, que ces pièces se changèrent en énormes chauves-souris. Il ouvrit les doigts avec terreur, et les vilaines bêtes s'échappèrent, poussant des cris aigus, le frappant à la face de leurs longues ailes noires. Guillaumette, de son côté, saisit une nichée de jeunes rats, aux dents blanches et fines, qui la mordirent cruellement en s'enfuyant le long de ses jambes. La vieille femme, que la vue d'une souris faisait évanouir, se mourait de les sentir courir dans ses jupes.

Ils s'étaient dressés, n'osant plus caresser cet argent si neuf d'apparence, mais si déplaisant au toucher. Ils se regardaient mal à l'aise, s'encourageaient avec ces regards, moitié riants, moitié fâchés, d'un enfant que vient de brûler une friandise trop chaude. Guillaumette céda la première à la tentation ; elle allongea ses bras maigres et prit deux nouvelles poignées de sous. Comme elle serrait les poings, pour ne rien laisser échapper, elle poussa un grand cri de douleur ; car, à la vérité, elle avait saisi deux poignées d'aiguilles si longues, si pointues, que ses doigts se trouvaient comme cousus aux paumes de ses mains. Guillaume, à la voir se baisser, voulut sa part du trésor. Il se hâta, mais ne ramassa pour tout butin que deux belles pelletées de charbons ardents qui brûlèrent comme poudre sur sa peau, tant ils étaient enflammés.

Alors, rendus furieux par la souffrance, ils se pré-
cipitèrent sur les gros sous, fouillant en plein tas,
cherchant à gagner le miracle de vitesse. Mais les
gros sous n'étaient pas sous à se laisser surprendre.
À peine touchés, ils s'envolaient en sauterelles, ram-
paient en serpents, fuyaient en eau bouillante, se dissipaient en fumée ; toute forme leur semblait bonne,
et ils ne s'en allaient pas sans avoir quelque peu
brûlé ou mordu les voleurs.

Il y avait là une effrayante fécondité, si rapide,
donnant naissance à tant de créatures différentes,
qu'une inexprimable terreur régnait. Crapauds
volants, hiboux, vampires, phalènes [1] se pressaient à
la lucarne, battant de l'aile, s'échappant par grandes
volées. Les scorpions, les araignées, tous les hideux
habitants des lieux humides, gagnaient les coins par
longues files effarouchées ; le grenier, bien que fort
lézardé, n'avait pas assez de trous pour eux, et ils
étaient là, se poussant, s'écrasant dans les fentes.

Guillaume et Guillaumette, fous d'épouvante,
couraient, emportés dans le vertige de cette étrange
création. À droite, à gauche, de toutes parts, ils
hâtaient l'éclosion de nouveaux êtres. De leurs
doigts ruisselait la vie. Le flot vivant montait. Ce trésor, où tantôt se mirait la lune, n'était plus qu'une
masse noirâtre qui se mouvait lourdement, se soulevant, s'affaissant sur elle-même, comme fait le vin
dans la cuve.

Bientôt pas un gros sou ne resta. Le tas en entier
s'était animé. Alors Guillaume et Guillaumette, ne
prenant plus que reptiles, s'enfuirent en se jetant à
la face deux poignées de couleuvres.

Et, comme s'ils avaient emporté tous les monstres
dans ces deux dernières poignées, le grenier se
trouva vide. Sœur-des-Pauvres, n'ayant rien
entendu, dormait, calme et souriante.

---

1. Phalènes : grands papillons nocturnes.

VI

À son réveil, Sœur-des-Pauvres eut un remords. Elle se dit qu'elle était allée bien loin chercher la misère du pays entier, sans songer à soulager celle de son oncle et de sa tante.

La chère enfant avait compassion de toutes les souffrances. Un pauvre était pauvre pour elle, avant d'être bon ou méchant. Elle ne distinguait point entre les larmes, elle pensait volontiers qu'elle n'avait pas charge de distribuer des peines et des récompenses, mais mission d'essuyer des pleurs. Dans sa petite raison de dix ans, il n'y avait pas grande idée de justice ; elle était toute charité, toute aumône. Lorsqu'elle songeait aux damnés d'enfer, il lui venait au cœur des pitiés, qu'elle n'éprouvait jamais aussi fortes pour les âmes du purgatoire.

Quelqu'un lui ayant dit un jour que tel pauvre ne méritait pas le pain qu'elle lui donnait, elle n'avait pas compris. Elle se refusait à croire que ce n'est pas assez d'avoir faim pour manger.

Or, pour réparer son oubli, Sœur-des-Pauvres reprenant le petit sac, alla vite acheter, en bel argent neuf, une terre qui touchait à la cabane de ses parents. Elle acheta en outre une paire de bœufs, blancs et roux, aux poils luisants comme de la soie. Elle n'eut garde d'oublier la charrue. Puis, elle loua un garçon de ferme qui conduisit l'attelage au bord du champ, à la porte de la chaumière. Pendant ce temps, elle amassait à la ville des provisions de toutes sortes, souches de vigne qui brûlent avec un feu clair, fine fleur de farine, salaisons, légumes secs. Elle se faisait suivre de trois grosses charrettes, allant de boutique en boutique, les chargeant de ce qu'elle pensait nécessaire à un ménage. Et c'était merveille comme elle dépensait en grande fille l'argent du bon Dieu, n'achetant pas choses inutiles, ainsi qu'on aurait pu l'attendre d'une bambine de son âge, mais bien meubles solides, pièces de toile, chaudrons de

cuivre, tout ce que souhaite dans ses rêves une
ménagère de trente ans.

Lorsque les trois charrettes furent pleines, elle vint
les faire ranger auprès des bœufs et de la charrue.
Alors elle comprit que la chaumière était bien misérable, bien petite, pour contenir ces richesses, et elle
eut du chagrin de ne pouvoir acheter une ferme, non
pas qu'elle manquât d'argent, mais parce qu'il n'y
avait point de ferme dans cette partie du pays. Elle
résolut d'appeler les maçons et de leur faire bâtir une
grande habitation, sur l'emplacement même de la
pauvre demeure. Mais en attendant, comme elle
était pressée, elle se contenta de verser sur le sol,
devant les charrettes, quelques tas de gros sous, pour
payer les frais de bâtisse.

Elle fit si bien, qu'elle ne mit pas une heure à tout
disposer de la sorte. Guillaume et Guillaumette dormaient encore, n'ayant entendu ni le bruit des roues
ni le fouet du garçon de ferme.

Alors, Sœur-des-Pauvres s'approcha de la porte,
ayant aux lèvres un fin sourire, car elle avait parfois
l'espièglerie du bien. Elle s'était hâtée un peu par
malice ; elle s'applaudissait d'avoir réussi à devancer
le réveil de ses parents.

Elle donna un dernier regard à ses achats, puis se
mit à crier, en frappant dans ses mains de toutes ses
forces :

« Oncle Guillaume, tante Guillaumette ! »

Et, comme les deux vieux ne bougeaient, elle
heurta du poing les planches mal jointes du volet, en
répétant plus haut, à plusieurs reprises :

« Oncle Guillaume, tante Guillaumette, ouvrez
vite, la fortune demande à entrer ! »

Or, Guillaume et Guillaumette entendirent cela
en dormant, ce qui les fit sauter du lit, avant d'avoir
pris la peine de s'éveiller. Sœur-des-Pauvres criait
encore, lorsqu'ils parurent sur le seuil, se poussant,
se frottant les yeux, pour mieux voir ; et ils s'étaient
tant pressés, que Guillaume avait les jupes et
Guillaumette les culottes. Ils n'eurent garde de s'en

douter, ayant bien d'autres sujets d'étonnement. Les tas de gros sous s'élevaient, hauts comme des meules de foin, devant les trois charrettes qui avaient fort grand air, les chaudrons et les meubles de chêne se détachant sur la neige. Les bœufs, au vent froid du matin, soufflaient avec bruit. Le soc de la charrue semblait d'argent, blanc des premiers rayons.

Le garçon de ferme s'avança et dit à Guillaume :

« Maître, où dois-je conduire l'attelage ? Ce n'est pas saison de labour. Soyez sans crainte : vos champs sont ensemencés, vous aurez ample récolte. »

Et, pendant ce temps, les charretiers s'étaient approchés de Guillaumette.

« Brave dame, lui disaient-ils, voici votre ménage, avec vos provisions d'hiver. Hâtez-vous de nous dire où nous devons décharger nos charrettes. C'est peu d'un jour pour rentrer au logis toutes ces richesses. »

Les deux vieux, bouche béante, ne savaient que répondre. Ils regardaient timidement ces biens qu'ils ne se connaissaient pas, ils songeaient aux vilains sous qui s'étaient si cruellement moqués d'eux, la nuit dernière. Sœur-des-Pauvres, cachée dans un coin, riait de leur étrange figure ; elle ne désirait tirer autre vengeance de leur peu d'amitié pour elle, dans les jours d'infortune. La pauvre petite n'avait jamais tant ri de sa vie. Je t'assure, tu aurais ri comme elle, de voir Guillaume en jupes et Guillaumette en culottes, ne sachant s'ils devaient se réjouir ou pleurer, faisant la grimace la plus plaisante du monde.

Enfin, comme elle les voyait près de rentrer et de fermer porte et fenêtre, elle se montra.

« Mes amis, dit-elle au garçon de ferme et aux charretiers, entrez tout ceci dans la chaumière ; n'ayez point souci d'emplir les chambres jusqu'au plafond. Je n'avais pas songé à la petitesse du logis, j'ai tant acheté qu'il nous faut maintenant un château. Mais voici l'argent pour les maçons. »

Elle disait cela afin d'être entendue de ses parents, car elle pensait avec raison les rassurer en leur donnant à comprendre qu'elle était la bonne fée qui leur

faisait ces cadeaux. Or, Guillaume et Guillaumette
se promettaient depuis la veille de la battre, en punition de ce qu'elle les avait quittés tout un jour ; mais,
lorsqu'ils l'entendirent parler ainsi, lorsqu'ils virent
les hommes déposer les meubles et les provisions à
leur porte, ils la regardèrent, ils éclatèrent en sanglots, sans savoir pourquoi. Il leur sembla qu'une
main les serrait à la gorge. Ils restaient là, debout,
près d'étouffer, ne sachant que faire, dans cette émotion qu'ils ne connaissaient pas. Et, tout d'un coup,
ils comprirent qu'ils aimaient Sœur-des-Pauvres.
Alors, riant dans les larmes, ils coururent l'embrasser, ce qui les soulagea.

VII

Un an plus tard, Guillaume et Guillaumette se
trouvaient les plus riches fermiers du pays. Ils possédaient une grande ferme neuve ; leurs champs
s'étendaient à tant de lieues à la ronde, qu'un même
horizon ne pouvait les contenir. Qu'un pauvre
devienne riche, cela n'est point rare ; personne, dans
nos temps, ne songe à s'en étonner. Mais, lorsque
Guillaume et Guillaumette de méchants devinrent
bons, il y en eut qui se refusèrent à le croire. C'était
la vérité cependant. Les parents de Sœur-des-
Pauvres, ne souffrant plus le froid ni la faim, retrouvèrent leur bon cœur d'autrefois. Comme ils avaient
beaucoup pleuré, ils se sentirent frères des misérables et les soulagèrent sans égoïsme.
Les larmes, je le sais, sont bonnes conseillères.
Pourtant, si Guillaumette n'aima plus trop la dentelle, si Guillaume cessa de boire et préféra le travail,
m'est avis que les gros sous avaient en eux quelque
vertu secrète qui aida au miracle ; car ils n'étaient
pas comme les premiers sous venus, qui consentent
à payer les mauvaises dépenses ; eux, se refusaient
aux méchants cœurs et rendaient charitable, en diri-
geant la main des honnêtes gens qui les possédaient.

Ah ! les braves gros sous, n'ayant point la morne stu-
pidité de nos laides pièces d'or et d'argent !

Guillaume et Guillaumette baisaient Sœur-des-
Pauvres du matin au soir. Les premiers jours, ils lui
évitaient toute fatigue, ils se fâchaient dès qu'elle
parlait de travail. Il était aisé de voir qu'ils souhai-
taient en faire une belle demoiselle, avec de petites
mains blanches, bonnes à nouer des rubans. « Fais-
toi fière, lui disaient-ils chaque matin ; ne te chagrine
du reste. » Mais la fillette ne l'entendait point ainsi ;
elle serait morte de tristesse, à rester assise tout le
long du jour, sans autre besogne que de regarder
filer les nuages ; ses richesses lui étaient une moindre
distraction que de frotter ses meubles de chêne et de
tirer soigneusement ses draps de fine toile. Elle prenait donc du plaisir à sa guise, répondant à ses
parents : « Laissez, je suis chaudement vêtue et n'ai
que faire de dentelle ; j'aime mieux souci de ménage
que souci de toilette. »

Et elle disait cela si sagement, que Guillaume et
Guillaumette comprirent qu'elle avait une grande
raison. Ils ne la contrarièrent plus dans ses goûts. Ce
fut fête pour elle. Elle se leva, ainsi qu'autrefois, à
cinq heures, et se chargea des soins domestiques ;
non pas qu'elle balayât et lavât, comme aux jours du
malheur, car ce n'était une besogne de sa force que
d'entretenir en propreté un aussi vaste logis ; mais
elle surveilla les servantes, elle n'eut aucune fausse
honte à les aider dans leurs travaux de laiterie et de
basse-cour. Elle était bien la jeune fille la plus riche
et la plus active de la contrée. Chacun s'émerveillait
de ce qu'elle n'eût point changé en devenant grosse
fermière, sinon qu'elle avait les joues plus roses et le
cœur plus gai au travail. « Bonne misère, disait-elle
souvent, tu m'as appris à être riche. »

Elle songeait beaucoup pour son âge, ce qui
l'attristait parfois. Je ne sais comment elle s'aperçut
que ses gros sous lui devenaient de peu d'utilité. Les
champs lui donnaient le pain, le vin, l'huile, les
légumes, les fruits ; les troupeaux lui fournissaient la

laine pour les vêtements, la chair pour les repas ;
tout s'offrait à ses entours, et les produits de la ferme
suffisaient amplement à ses besoins, ainsi qu'à ceux
de ses gens. Même la part des pauvres était large, car
elle ne donnait plus aumônes d'argent, mais viande,
farine, bois à brûler, pièces de toile et de drap, se
montrant sage en cela, offrant ce qu'elle savait
nécessaire aux indigents, leur évitant la tentation de
mal employer les sous de la charité.

Or, dans cette abondance de biens, plusieurs tas
de gros sous dormaient au grenier, où Sœur-des-
Pauvres se chagrinait de les voir occuper la place de
vingt à trente bottes de paille. Elle préférait de beaucoup cette paille, récompense du travail, à cette
monnaie qu'elle entassait sans grand mérite. Aussi,
peu à peu, en vint-elle à se sentir un profond dédain
pour cette sorte de richesse, bonne à dormir dans les
coffres des avares, ou encore à s'user aux mains des
trafiquants des villes [1].

Elle était si lasse de cette fortune incommode,
qu'un matin elle se décida à la faire disparaître. Elle
avait conservé le petit sac qui dévorait les gros sous
d'une façon si aisée ; il fit son devoir en conscience
et nettoya proprement le grenier. Sœur-des-Pauvres
agit de ruse, car elle se garda de mettre au fond le
sou de la mendiante ; de sorte que l'argent s'en alla
bel et bien, sans avoir la tentation de revenir.

Ainsi, elle prit soin de ne pas devenir trop riche,
sentant qu'il y avait là danger pour le cœur. Elle
donna peu à peu une partie de ses terres, qui étaient
trop vastes pour nourrir une seule famille. Elle

---

1. La « bonne richesse », moralement acceptable, doit venir du
travail, en particulier de l'agriculture (la France, à l'époque de
Zola, est aux trois quarts rurale), selon la théorie économique
classique, qui pose avant tout la question de l'*acquisition* des
richesses. *Sœur-des-Pauvres* tourne ainsi au petit traité d'économie
idéale et témoigne de la hantise de l'accumulation des capitaux,
de la spéculation, qui sera l'un des axes de la critique politique et
sociale dans le cycle des *Rougon-Macquart*, avec *La Curée* et
L'Argent notamment, romans où se retrouve le mythe de l'amon-
cellement épique des gros sous, l'image du « tas d'or »...

mesura son revenu à ses besoins. Puis, comme les bons bras ne manquaient pas à la ferme, lorsque, malgré elle, les sous s'amassaient au grenier, elle y montait en cachette, elle s'appauvrissait à plaisir. Pour assurer son contentement, elle garda toute sa vie la bourse enchantée, qui donnait si largement aux heures de détresse, et qui, aux heures de fortune, ne savait plus que prendre.

Sœur-des-Pauvres avait un autre souci. Le cadeau de la pauvresse l'embarrassait. Elle s'effrayait du pouvoir qu'il lui donnait ; car, lors même qu'on ne doute pas de soi, il y a plus de gaieté de cœur à se sentir humble que puissant. Elle l'eût volontiers jeté à la rivière ; mais un méchant pouvait le trouver dans le sable et en user au dommage de chacun ; et, certes, s'il employait à faire le mal la moitié de l'argent qu'elle avait dépensé en bonnes œuvres, il n'est point douteux qu'il ne ruinât le pays. Aussi comprit-elle alors que la mendiante ait longtemps cherché avant de donner son aumône : c'était là un cadeau faisant la joie ou le désespoir d'un peuple, selon la main qui le recevait.

Elle garda le sou. Comme il était percé, elle se le pendit au cou, à l'aide d'un ruban ; ainsi elle ne pouvait le perdre. Mais cela la chagrinait de le sentir sur sa poitrine ; elle eût tout fait au monde pour retrouver la pauvresse. Elle l'aurait priée de reprendre ce dépôt, trop lourd pour être longtemps gardé, et de la laisser vivre en bonne fille, ne faisant d'autres miracles que des miracles de travail et de joyeuse humeur.

Or, l'ayant vainement cherchée, elle désespérait de jamais la rencontrer.

Un soir, passant devant l'église, elle entra faire un bout de prière. Elle alla tout au fond, dans une petite chapelle qu'elle aimait pour son ombre et son silence ; les vitraux, d'un bleu sombre, éclairaient les dalles comme d'un reflet de lune ; la voûte, un peu basse, n'avait pas d'écho. Mais, ce soir-là, la petite chapelle était en fête. Un rayon égaré, après avoir traversé la nef, donnait en plein sur l'humble autel, allumant dans les ténèbres le cadre doré d'un vieux tableau.

Sœur-des-Pauvres, qui s'était agenouillée sur la pierre nue, eut une courte distraction, à voir ce bel adieu du soleil à son coucher, sur ce cadre qu'elle ne savait point là. Puis, penchant la tête, elle commença son oraison ; elle suppliait le bon Dieu de lui envoyer un ange qui se chargeât du gros sou.

Au fort de sa prière, elle leva le front. Le baiser du soleil montait lentement ; il avait laissé le cadre pour la toile peinte ; on eût pu croire qu'une lumière blonde sortait de l'image sainte. Elle rayonnait sur le mur noir ; et c'était comme si quelque chérubin eût écarté un coin du voile des cieux, car on y voyait, dans un éblouissement de gloire et de splendeur, la Vierge Marie endormant Jésus sur ses genoux.

Sœur-des-Pauvres regardait, cherchant à se souvenir. Elle avait vu, en songe peut-être, cette belle sainte et cet enfant divin. Eux aussi la reconnaissaient sans doute : ils lui souriaient, et même elle les vit sortir de la toile, pour descendre vers elle.

Elle entendit une voix douce qui disait :

« Je suis la sainte mendiante des cieux. Les pauvres de la terre me font l'offrande de leurs larmes, et je tends la main à chaque misérable, afin qu'il se soulage. J'emporte au ciel ces aumônes de souffrance. Ce sont elles qui, amassées une à une dans les siècles, formeront au dernier jour les trésors de félicité des élus.

« C'est ainsi que je vais par le monde, pauvrement vêtue, comme il convient à une fille du peuple. Je console les indigents mes frères, je sauve les riches par la charité.

« Je t'ai vue, un soir, et j'ai reconnu en toi celle que je cherchais. C'est un rude labeur que le mien. Lorsque je rencontre un ange sur la terre, je lui confie une partie de ma mission. J'ai pour cela des sous du ciel qui ont l'intelligence du bien, qui rendent fées les mains pures.

« Vois, mon Jésus te sourit : il est content de toi. Tu as été mendiante des cieux, car chacun t'a fait l'aumône de son âme, et tu amèncras ton cortège de pauvres jusque dans le paradis. Maintenant, donne ce sou qui te pèse ; les chérubins ont seuls cette force de porter éternellement le bien sur leurs ailes. Sois humble, sois heureuse. »

Sœur-des-Pauvres écoutait la parole divine ; elle était là, demi-penchée, muette, en extase ; et, dans ses yeux grands ouverts, se reflétait l'éblouissement de la vision. Elle demeura longtemps immobile. Puis, comme le rayon montait toujours, il lui sembla que la porte du ciel se refermait ; la Vierge, ayant pris le ruban à son cou, disparut lentement. L'enfant regardait encore, mais elle voyait seulement le haut du cadre doré, brillant faiblement aux dernières lueurs.

Alors, ne sentant plus le poids du sou sur sa poitrine, elle crut en ce qu'elle venait de voir. Elle se signa, elle s'en alla, remerciant Dieu.

C'est ainsi qu'elle n'eut plus de souci et qu'elle vécut longtemps, jusqu'au jour où l'ange qu'elle attendait depuis sa jeunesse, l'emmena auprès de sa mère et de son père, dont les regrets l'appelaient depuis si longtemps au paradis. Elle trouva près d'eux Guillaume et Guillaumette, qui l'avaient quittée, eux aussi, un jour qu'ils étaient las.

Et plus de cent ans après sa mort, on n'aurait pu trouver un seul mendiant dans la contrée ; non pas qu'il y eût dans les armoires des familles de nos vilaines pièces d'or ou d'argent ; mais il s'y rencontrait toujours, on ne savait comment, quelques fils du sou de la Vierge, de ces gros sous de cuivre jaune, qui sont la monnaie des travailleurs et des simples d'esprit.

LES REPOUSSOIRS [1]

I

À Paris, tout se vend : les vierges folles et les
vierges sages, les mensonges et les vérités, les larmes
et les sourires [2].

Vous n'ignorez pas qu'en ce pays de commerce [3],
la beauté est une denrée dont il est fait un effroyable
négoce. On vend et on achète les grands yeux et les
petites bouches ; les nez et les mentons sont cotés
au plus juste prix. Telle fossette, tel grain de beauté
représentent une rente fixe. Et, comme il y a toujours de la contrefaçon, on imite parfois la marchandise du bon Dieu, et on vend beaucoup plus cher

---

1. *Les Repoussoirs* appartient à un groupe de quatre textes, les
Esquisses parisiennes, parus dans la presse parisienne et de genre
intermédiaire entre la chronique et la nouvelle, que Zola joignit,
pour l'étoffer un peu, à la première édition de son roman *Le Vœu
d'une morte*, publié chez l'éditeur Achille Faure en novembre
1866. *Les Repoussoirs* a d'abord figuré dans *La Voie nouvelle*, à
Marseille, le 15 mars 1866.
2. Zola a déjà exploité avec une même ironie ce slogan du « tout
se vend » dans *Les Bals publics*, texte paru dans *Le Petit Journal* du
13 février 1865, avec l'histoire de Coquardeau, « un industriel poète,
une puissante intelligence » qui, lui, fait commerce de fous rires, « à
deux francs l'heure ». Coquardeau et Durandeau sont des préfigura-
tions fantaisistes de Saccard et d'Octave Mouret.
3. Sous le second Empire triomphe la « nouvelle économie »,
celle des grandes banques par actions, de l'immobilier, du commerce... Zola exploitera de façon contrastée cette évolution dans
les *Rougon-Macquart* : voir *La Curée* (1872), *Au bonheur des dames*
(1883), *L'Argent* (1891).

les faux sourcils faits avec des bouts d'allumettes brûlées, les faux chignons attachés aux cheveux à l'aide de longues épingles.

Tout ceci est juste et logique. Nous sommes un peuple civilisé, et je vous demande un peu à quoi servirait la civilisation, si elle ne nous aidait pas à tromper et à être trompés, pour rendre la vie possible.

Mais je vous avoue que j'ai été réellement surpris, lorsque j'ai appris hier qu'un industriel, le vieux Durandeau, que vous connaissez comme moi, a eu l'ingénieuse et étonnante idée de faire commerce de la laideur. Que l'on vende de la beauté, je comprends cela ; que l'on vende même de la fausse beauté, c'est tout naturel, c'est un signe de progrès. Mais je déclare que Durandeau a bien mérité de la France, en mettant en circulation dans le commerce cette matière morte jusqu'à ce jour, qu'on appelle laideur. Entendons-nous, c'est de la laideur laide que je veux parler, de la laideur franche, vendue loyalement pour de la laideur [1].

Vous avez certainement rencontré parfois des femmes allant deux par deux sur les larges trottoirs. Elles marchent lentement, s'arrêtent aux vitrines des boutiques, avec des rires étouffés, et traînent leur robe d'une façon souple et engageante. Elles se donnent le bras comme deux bonnes amies, se tutoient le plus souvent, presque de même âge, vêtues avec une égale élégance. Mais toujours l'une est d'une beauté sans éclat, un de ces visages dont on ne dit rien : on ne se retournerait pas pour la mieux voir, mais s'il arrive par hasard qu'on l'aperçoive, on la regarde sans déplaisir. Toujours l'autre est d'une atroce laideur, d'une laideur qui irrite, qui

---

1. La laideur, qui obsède Zola, est au cœur des enjeux de la modernité esthétique, surtout depuis les considérations de Hugo dans la préface de *Cromwell* (1827), dont on peut rappeler cet « axiome » : « Le beau n'a qu'un type, le laid en a mille. »

fixe le regard, qui force les passants à établir des comparaisons entre elle et sa compagne [1].

Avouez que vous avez été pris au piège et que parfois vous vous êtes mis à suivre les deux femmes. Le monstre, seul sur le trottoir, vous eût épouvanté ; la jeune femme au visage médiocre vous eût laissé parfaitement indifférent. Mais elles étaient ensemble, et la laideur de l'une a grandi la beauté de l'autre.

Eh bien ! je vous le dis, le monstre, la femme atrocement laide, appartient à l'agence Durandeau. Elle fait partie du personnel des *Repoussoirs*. Le grand Durandeau l'avait louée au visage insignifiant, à raison de cinq francs l'heure.

II

Voici l'histoire.

Durandeau est un industriel original et inventif, riche à millions, qui fait aujourd'hui de l'art en matière commerciale. Il gémissait depuis de longues années, en songeant qu'on n'avait encore pu tirer un sou du négoce des filles laides. Quant à spéculer sur les jolies filles, c'est là une spéculation délicate, et Durandeau, qui a des scrupules d'homme riche, n'y a jamais songé, je vous assure.

Un jour, soudainement, il fut frappé par le rayon d'en haut. Son esprit enfanta l'idée nouvelle tout d'un coup, comme il arrive aux grands inventeurs. Il se promenait sur le boulevard, lorsqu'il vit trotter devant lui deux jeunes filles, l'une belle, l'autre laide. Et voilà qu'à les regarder, il comprit que la laide était un ajustement dont se parait la belle. De même que les rubans, la poudre de riz, les nattes fausses se

---

1. Dans une comédie en un acte et en prose écrite en 1865 et intitulée *La Laide*, Zola met en scène deux sœurs à marier, dont l'une est « fort belle » mais un peu évaporée, tandis que l'autre a « un visage atroce » mais possède « une beauté bien supérieure », celle du cœur et de l'âme.

vendent, il était juste et logique, se dit-il, que la belle achetât la laide comme un ornement qui lui seyait.

Durandeau rentra chez lui pour réfléchir à l'aise. L'opération commerciale qu'il méditait, demandait à être conduite avec la plus grande délicatesse. Il ne voulait pas se lancer à l'aventure dans une entreprise géniale, si elle réussissait, ridicule, si elle échouait. Il passa la nuit à faire des calculs, à lire les philosophes qui ont le mieux parlé de la sottise des hommes et de la vanité des femmes. Le lendemain, à l'aube, il était décidé : l'arithmétique lui avait donné raison, les philosophes lui avaient dit un tel mal de l'humanité, qu'il comptait déjà sur une nombreuse clientèle.

III

Je voudrais avoir plus de souffle, et j'écrirais l'épopée de la création de l'agence Durandeau. Ce serait là une épopée burlesque et triste, pleine de larmes et d'éclats de rire [1].

Durandeau eut plus de peine qu'il ne pensait pour se former un fonds de marchandises. Voulant agir directement, il se contenta d'abord de coller le long des tuyaux de descente, contre les arbres, dans les endroits écartés, de petits carrés de papier sur lesquels ces mots se trouvaient écrits à la main : *On demande des jeunes filles laides pour faire un ouvrage facile.*

Il attendit huit jours, et pas une fille laide ne se présenta. Il en vint cinq ou six jolies, qui demandèrent de l'ouvrage en sanglotant ; elles étaient entre la faim et le vice, et elles songeaient encore à se sauver par le travail. Durandeau, fort embarrassé, leur

---

1. Le « rire aux larmes » suscité par la corruption de l'idéal et récurrent dans ce texte est d'origine romantique. Partant de Musset, la gaieté triste investit le réalisme littéraire, celui des *Scènes de la vie de bohème* de Murger notamment. Le rire de Zola, généralement méconnu, est tributaire de cette tradition polyphonique, qui aboutit également à la fantaisie grinçante des *Contes cruels* et des *Histoires insolites* de Villiers de L'Isle-Adam.

dit et leur répéta qu'elles étaient jolies et qu'elles ne
pouvaient lui convenir. Mais elles soutinrent qu'elles
étaient laides, que c'était pure galanterie et méchanceté de sa part, s'il les déclarait belles. Aujourd'hui,
ne pouvant vendre la laideur qu'elles n'avaient pas,
elles ont dû vendre la beauté qu'elles avaient.

Durandeau, devant ce résultat, comprit qu'il n'y a
que les belles filles qui ont le courage d'avouer une
laideur imaginaire. Quant aux laides, jamais elles ne
viendront d'elles-mêmes convenir de la grandeur
démesurée de leur bouche, ni de la petitesse extrava-
gante de leurs yeux. Affichez sur tous les murs que
vous donnerez dix francs à chaque laideron qui se
présentera, et vous ne vous appauvrirez guère.

Durandeau renonça aux affiches. Il engagea une
demi-douzaine de courtiers et les lâcha dans la ville
en quête de monstres. Ce fut un recrutement général
de la laideur de Paris. Les courtiers, hommes de tact
et de goût, eurent une rude besogne ; ils procédaient
suivant les caractères et les positions, brusquement
lorsque le sujet avait de pressants besoins d'argent,
avec plus de délicatesse quand ils avaient affaire à
quelque fille ne mourant point encore de faim. Il est
dur, pour des gens polis, d'aller dire à une femme :
« Madame, vous êtes laide ; je vous achète votre laideur à tant la journée. »

Il y eut, dans cette chasse donnée aux pauvres
filles qui pleurent devant les miroirs, des épisodes
mémorables. Parfois, les courtiers s'acharnaient : ils
avaient vu passer, dans une rue, une femme d'une
laideur idéale, et ils tenaient à la présenter à Durandeau, pour mériter les remerciements du maître.
Certains eurent recours aux moyens extrêmes.

Chaque matin, Durandeau recevait et inspectait
la marchandise racolée la veille. Largement installé
dans un fauteuil, en robe de chambre jaune et en
calotte de satin noir, il faisait défiler devant lui les
nouvelles recrues, accompagnées chacune de son
courtier. Alors, il se renversait en arrière, clignait
les yeux, avait des mines d'amateur contrarié ou

satisfait ; il prenait lentement une prise [1] et se
recueillait ; puis, pour mieux voir, il faisait tourner
la marchandise, l'examinant sur toutes les faces ;
parfois même il se levait, touchait les cheveux, examinait la face, comme un tailleur palpe une étoffe,
ou encore comme un épicier s'assure de la qualité
de la chandelle ou du poivre. Lorsque la laideur
était bien accusée, lorsque le visage était stupide et
lourd, Durandeau se frottait les mains ; il félicitait
le courtier, il aurait même embrassé le monstre.
Mais il se défiait des laideurs originales : quand
les yeux brillaient et que les lèvres avaient des sourires aigus, il fronçait le sourcil et se disait tout
bas qu'une pareille laide, si elle n'était pas faite
pour l'amour, était faite souvent pour la passion [2]. Il témoignait quelque froideur au courtier, et
disait à la femme de repasser plus tard, lorsqu'elle
serait vieille.

Il n'est pas aussi aisé qu'on peut le croire de se
connaître en laideur, de composer une collection de
femmes vraiment laides, ne pouvant nuire aux belles
filles. Durandeau fit preuve de génie dans les choix
auxquels il s'arrêta, car il montra quelle connaissance profonde il avait du cœur et des passions. La
grande question pour lui était donc la physionomie,
et il ne retint que les faces décourageantes, celles qui
glacent par leur épaisseur et leur bêtise.

Le jour où l'agence fut définitivement montée, où
il put offrir aux jolies filles sur le retour des laides
assorties à leur couleur et à leur genre de beauté, il
lança le prospectus suivant.

---

1. Prise : pincée de tabac.
2. Zola développera cette suggestion en 1867 dans son roman
Thérèse Raquin. L'héroïne, apparemment laide, « a le nez long,
la bouche grande » (*Thérèse Raquin*, Larousse, « Petits Classiques
Larousse », 2002, p. 39) ; mais la passion amoureuse la trans-
forme et Laurent, son amant, s'étonne de la trouver belle.

IV

Paris, le 1ᵉʳ mai 18...

AGENCE DES REPOUSSOIRS
L. Durandeau
18, rue M***, à Paris
Les Bureaux sont ouverts de 10 à 4 heures

« MADAME,

« J'ai l'honneur de vous faire savoir que je viens de fonder une maison appelée à rendre les plus grands services à l'entretien de la beauté des dames. Je suis inventeur d'un article de toilette qui doit rehausser d'un nouvel éclat les grâces accordées par la nature.

« Jusqu'à ce jour, les ajustements n'ont pu être dissimulés. On voit la dentelle et les bijoux, on sait même qu'il y a de faux cheveux dans le chignon et que la pourpre des lèvres et le rose tendre des joues sont d'habiles peintures.

« Or, j'ai voulu réaliser ce problème, impossible au premier abord, de parer les dames, en laissant ignorer à tous les yeux d'où venait cette grâce nouvelle. Sans ajouter un ruban, sans toucher au visage, il s'agissait de trouver pour elles un infaillible moyen d'attirer les regards et de ne pas faire ainsi de courses inutiles.

« Je crois pouvoir me flatter d'avoir résolu entièrement le problème insoluble que je m'étais posé.

« Aujourd'hui, toute dame qui voudra bien m'honorer de sa confiance obtiendra, dans les prix doux, l'admiration de la foule.

« Mon article de toilette est d'une simplicité extrême et d'un effet certain. Je n'ai besoin que de le décrire, madame, pour que vous en compreniez tout de suite le mécanisme.

« N'avez-vous jamais vu une pauvresse auprès d'une belle dame en soie et en dentelle, qui lui donnait l'aumône de sa main gantée ? Avez-vous remarqué combien la soie luisait, en se détachant sur les haillons, combien toute cette richesse s'étalait et gagnait d'élégance, à côté de toute cette misère ?

« Madame, j'ai à offrir aux beaux visages la plus riche collection de visages laids qu'on puisse voir. Les vêtements troués font valoir les habits neufs. Mes faces laides font valoir les jolies faces.

« Plus de fausses dents, de faux cheveux, de fausses gorges ! Plus de maquillage, de toilettes dispendieuses, de dépenses énormes en fards et en dentelles ! De simples *Repoussoirs* que l'on prend au bras et que l'on promène par les rues, pour rehausser sa beauté et se faire regarder tendrement par les messieurs !

« Veuillez, madame, m'honorer de votre clientèle. Vous trouverez chez moi les produits les plus laids et les plus variés. Vous pourrez choisir, assortir votre beauté au genre de laideur qui lui convient.

« TARIF : L'heure, 5 francs ; la journée entière, 50 francs.

« Veuillez agréer, madame, l'assurance de mes sentiments distingués.

« DURANDEAU. »

« N. B. – L'agence tient également des mères et des pères, des oncles et des tantes. – Prix modérés. »

V

Le succès fut grand. Dès le lendemain, l'agence fonctionnait, le bureau était encombré de clientes qui choisissaient chacune son repoussoir et l'emportaient avec une joie féroce. On ne sait pas tout ce qu'il y a de volupté pour une jolie femme à s'appuyer sur le bras d'une femme laide. On allait grandir sa beauté et jouir de la laideur d'une autre. Durandeau est un grand philosophe.

Il ne faut pas croire pourtant que l'organisation du service fut facile. Mille obstacles imprévus se présentèrent. Si l'on avait eu de la peine à monter le personnel, on eut plus de peine encore à satisfaire les clientes.

Une dame se présentait et demandait un repoussoir. On lui étalait la marchandise, lui disant de choisir, se contentant de lui insinuer quelques conseils. Voilà la dame allant d'un repoussoir à un autre, dédaigneuse, trouvant les pauvres filles ou trop ou pas assez laides, prétendant qu'aucune des laideurs ne s'assortissait à sa beauté. Les commis avaient beau lui faire valoir le nez de travers de celle-ci, l'énorme bouche de celle-là, le front écrasé et l'air imbécile de cette autre : ils en étaient pour leur éloquence.

D'autres fois, la dame était horriblement laide elle-même, et Durandeau, s'il était là, avait de folles envies de se l'attacher à prix d'or. Elle venait rehausser sa beauté, disait-elle ; elle désirait un repoussoir jeune et pas trop laid, n'ayant besoin que d'un léger ornement. Les commis désespérés la plantaient devant un grand miroir, faisaient défiler à son côté tout le personnel. Elle emportait encore le prix de laideur, et se retirait, indignée qu'on eût osé lui offrir de pareils objets.

Peu à peu, cependant, la clientèle se régularisa, chaque repoussoir eut ses clientes attitrées. Durandeau put se reposer dans la jouissance intime d'avoir fait faire un nouveau pas à l'humanité.

Je ne sais si l'on se rend bien compte de l'état de repoussoir. Il a ses joies qui rient en plein soleil, mais il a aussi ses larmes cachées.

Le repoussoir est laid, il est esclave, il souffre d'être payé parce qu'il est esclave et qu'il est laid. D'ailleurs, il est bien vêtu, il donne le bras aux célébrités de la galanterie, vit dans les voitures, mange chez les cabaretiers en renom, passe ses soirées au théâtre. Il tutoie les belles filles, et les naïfs le croient du beau monde des courses et des premières représentations.

Tout le jour, il est en gaieté. La nuit, il enrage, il sanglote. Il a quitté cette toilette qui appartient à l'agence, il est seul dans sa mansarde, en face d'un morceau de glace qui lui dit la vérité. Sa laideur est là, toute nue, et il sent bien qu'il ne sera jamais aimé. Lui qui sert à fouetter les désirs, jamais il ne connaîtra le goût des baisers.

VI

Je n'ai voulu, aujourd'hui, que raconter la création de l'agence et transmettre le nom de Durandeau à la postérité. De tels hommes ont leur place marquée dans l'histoire.

Un jour, peut-être, j'écrirai les *Confidences d'un repoussoir*. J'ai connu une de ces malheureuses, qui m'a navré en me disant ses souffrances. Elle a eu pour clientes des filles que tout Paris connaît et qui ont montré bien de la dureté à son égard. De grâce, mesdames, ne déchirez pas les dentelles qui vous parent, soyez douces pour les laides, sans lesquelles vous ne seriez point jolies !

Mon repoussoir était une âme de feu, qui, je le soupçonne, avait beaucoup lu Walter Scott[1]. Je ne sais rien de plus triste qu'un bossu amoureux ou qu'une laide broyant le bleu de l'idéal. La misérable fille aimait tous les garçons dont son lamentable visage attirait les regards et les faisait se fixer sur celui de ses clientes. Supposez le miroir amoureux des alouettes qu'il appelle sous le plomb du chasseur.

Elle a vécu bien des drames. Elle avait des jalousies terribles contre ces femmes qui la payaient comme on paie un pot de pommade ou une paire de bottines. Elle était une chose louée à tant l'heure, et

---

1. L'écrivain écossais est pour Zola le symbole du sentimentalisme. Ce cliché de la lecture émolliente sera exploité dans *Une page d'amour* (1878).

il se trouvait que cette chose avait des sens. Vous figurez-vous ses amertumes, tandis qu'elle souriait, tutoyant celles qui lui volaient sa part d'amour ? Ces belles filles qui prenaient un méchant plaisir à la cajoler en amie devant le monde, la traitaient en servante dans l'intimité ; et elles l'auraient brisée par caprice, comme elles brisent les magots de leurs étagères.

Mais qu'importe au progrès une âme qui souffre ! L'humanité marche en avant. Durandeau sera béni des âges futurs, parce qu'il a mis en circulation une marchandise morte jusqu'ici, et qu'il a inventé un article de toilette qui facilitera l'amour [1].

1. Pour une analyse détaillée des significations multiples de cette esquisse parisienne, voir l'article que Sophie Guermès lui a consacré : « Une épopée burlesque et triste. Lecture des *Repoussoirs* », *Les Cahiers naturalistes*, n° 71, 1997, p. 191-202.

LES ÉTRENNES
DE LA MENDIANTE [1]

Avant que le mois de janvier ait passé, rappelons encore un trait caractéristique du jour de l'an à Paris.

Le 1er janvier, il y a grande toilette dans les bouges de Paris. Les mendiants mettent leurs plus beaux haillons, se parent de loques pour aller présenter aux passants les souhaits de la misère et demander leurs étrennes, la main tendue, la face inquiète et caressante.

Ce jour-là, la mendicité est tolérée ; il lui est permis de s'exercer en plein jour, sans se déguiser sous les mille formes des industries de la rue. Le joueur d'orgue peut laisser au logis la lourde boîte qu'il a portée pendant douze longs mois ; les marchands d'allumettes, de lacets, de chansons peuvent ne pas renouveler leurs fonds de commerce. La voie publique est libre ; les sergents de ville tournent la tête ; les mains se tendent franchement, celles qui donnent et celles qui reçoivent.

Dans une maison haute et noire, au sixième étage, au fond d'une sorte de grenier, vit toute une famille

---

1. Cet émouvant croquis de la misère urbaine, qui prépare les tableaux plus amples de *L'Assommoir* et des grands romans ultérieurs, a paru, sous le simple titre *Chronique*, dans *Le Petit Journal* du 26 janvier 1865. C'est la première contribution de Zola à ce journal populaire et apolitique de grande diffusion auquel il donnera neuf textes.

indigente, le père, la mère et une petite fille de huit ans.

Le père est un grand vieillard sec et anguleux, la barbe et les cheveux longs et ébouriffés, d'un blanc sale. Il songe en soupirant aux beaux jours d'autrefois, lorsque les rues appartenaient aux pauvres, et qu'ils prenaient à eux seuls tout le soleil du bon Dieu et toute la pitié des hommes [1].

La mère ne songe plus. Elle semble vivre par habitude, et paraît insensible à la joie comme à la douleur. Le froid et la faim ont tué ses pensées et ses sensations.

La petite fille est le rayon du grenier sombre. Dans cette obscurité humide, lorsque sa tête pâle et blonde se détache sur la muraille noircie, son sourire a des lueurs de soleil ; ses yeux bleus, où l'insouciance met de soudaines gaietés, éclairent les coins du taudis. Elle ne pleure encore que parce qu'elle voit pleurer. Le 1er janvier, les parents et l'enfant se sont levés à cinq heures. La toilette a été longue et laborieuse. Puis le père et la mère se sont assis, immobiles, attendant le jour, tandis que la petite fille, plus coquette, a cherché vainement, pendant une grande heure, à cacher un gros trou qui occupe tout un côté de sa jupe.

L'enfant est heureuse. Elle va recevoir ses étrennes. La veille, son père lui a dit : « Demain, tu te feras belle, et nous irons dans les rues souhaiter santé et richesse aux heureux de ce monde. Les gens heureux sont bons, et ils ont voulu qu'une fois dans l'année nous puissions solliciter en paix la charité des âmes tendres. Demain, de belles petites demoiselles, qui ont beaucoup d'amis, recevront en cadeau de grandes poupées, des corbeilles de bonbons ; on a voulu que les pauvres enfants comme toi, qui n'ont

---

1. Les grands travaux du préfet Haussmann, entamés en 1852, remodelèrent Paris de fond en comble. Le tissu urbain fut bouleversé, les loyers augmentèrent et la population la plus pauvre fut obligée de migrer vers la périphérie de la capitale ou s'entassa dans des îlots restants.

l'amitié de personne, ne restent pourtant pas les mains vides, et on leur a donné pour amis tous ceux qui passent en leur permettant de tendre la main à tout le monde. Les gros sous de l'aumône seront tes dragées et tes jouets. »

La petite fille est dans la rue. Elle marche gaillardement, avec des hontes subites, s'arrêtant aux carrefours, sous les porches des églises, sur les ponts, partout où va le peuple. Son père et sa mère la suivent, graves, ne sollicitant pas eux-mêmes la pitié publique ; ils semblent rendre visite à la foule et lui présenter leur fille.

L'enfant arrête les jeunes et les vieux ; elle s'adresse de préférence à ceux qui portent des paquets, et ses yeux bleus leur disent dans une caresse : « Vous qui venez de dépenser un louis pour faire la joie d'une de vos sœurs, ne me donnerez-vous pas un pauvre petit sou pour mes étrennes ? »

Comment ne pas écouter la prière muette de son sourire. Les pièces de cuivre tombent dru dans sa main. Elle ramasse sou à sou ses étrennes, ici et là, et elle éprouve ainsi jusqu'au soir les plaisirs de ce jour qui semblait ne pas s'être levé pour elle.

Le soir, les pauvres gens ont du feu et du pain. L'enfant, fière, a compté son trésor, et elle a pu un instant se croire aimée de toute une ville.

Oui, le 1er janvier, c'est nous, les heureux, qui sommes les parrains, les amis des petites mendiantes. Nous avons charge de leur faire oublier leur misère, de leur donner notre pitié et nos consolations.

Croyez-moi, l'année prochaine, emplissez vos poches de gros sous... Allez par la ville et distribuez vos étrennes aux malheureux.

Vous reviendrez riche de bons regards, de bonnes paroles. Vous sentirez en vous toute la foi de ces enfants pâles que vous aurez fait sourire, et, au retour, vous embrasserez plus tendrement les enfants heureux qui tendent les mains, eux aussi, mais sans honte, et pour des jouets de vingt-cinq francs !

[LE VIEUX CHEVAL] [1]

Pour ma part, je ne sais rien de plus navrant que la vue d'un vieux cheval, par un temps de pluie, au milieu d'une plaine déserte.

L'autre jour, le cœur attristé par un ciel d'hiver, je me promenais dans les terrains vagues de Montrouge. Si un coin de la terre est frappé d'éternelle désolation, de misère et de lugubre poésie, ce sont bien ces champs défoncés et boueux qui s'étendent aux portes de Paris, faisant un seuil de fange à la cité reine du monde. Çà et là, le sol bâille affreusement et montre, comme des entrailles ouvertes, d'anciennes carrières abandonnées, blafardes et profondes [2]. Pas un seul arbre ; sur l'horizon bas et morne se détachent seulement les grandes roues des treuils. Les terres ont je ne sais quel aspect sordide ; les chemins tournent, s'allongent avec mélancolie ; des masures en ruine, des tas de plâtras s'offrent à chaque détour des sentiers. Le paysage, avec ses teintes maladives, ses plans brusquement coupés, ses plaies béantes, a la tristesse des pays que la main de l'homme a déchirés [3].

---

1. Récit paru, sous le simple titre *Chronique*, dans *Le Petit Journal* du 26 janvier 1865. Henri Mitterand, lorsqu'il a publié ce texte pour la première fois dans son édition des *Œuvres complètes* (Cercle du Livre précieux, 1968, t. IX), a proposé le titre *Le Vieux Cheval*.

2. Ces carrières de pierre de taille furent exploitées jusqu'au milieu du XIXe siècle pour les constructions de Paris.

3. On notera le changement de ton et de perspective par rapport aux premiers *Contes à Ninon*. Les yeux du narrateur se sont ouverts sur le réel, et si la fiction est toujours présente, elle est marquée par la prise de conscience des enjeux sociaux de l'écriture.

1868. Les embellissements de Paris.
Percement de la rue Portalis derrière l'église Saint-Augustin
(boulevard Malesherbes).

Gravure d'Octave Jahyer, d'après Bertrand,
in *Le Monde illustré*, 21 mars 1868.

Comme j'avançais, je vis, au coude d'un chemin, un vieux cheval attaché à un poteau, la tête basse et les narines soufflant sur la terre. La pauvre bête tremblait, agitée d'un frisson continu ; elle se dressait, grise et maigre, dans le ciel sombre, et une pluie fine qui tombait alors ruisselait le long de ses côtes [1].

Il y avait harmonie entre ce cheval, ce ciel d'hiver et ce misérable champ. Une telle infortune seyait à merveille dans ce paysage désolé. Ici, la créature et la campagne avaient chacune leurs larmes et c'était, je vous assure, une plainte déchirante que celle de cet être et de ces décombres.

Je me sentis au cœur une grande pitié [2].

À mon approche, le vieux cheval avait dressé le cou. Il me regardait de ses yeux troubles, secouant la tête.

Je m'oubliai là, devant lui, attendri par l'air de douloureux reproche dont il paraissait me considérer. J'ignore si j'ai rêvé, mais voici les paroles que m'a adressées le vieux cheval :

« Je mourrai demain, je puis donc soulager mon cœur ce soir. Je doute de faire adoucir le sort de mes frères, mais au moins, je te communiquerai une vérité qui est le fruit de toute une vie de cheval philosophe.

« Voici cette vérité : le travail enrichit les hommes, le travail conduit les chevaux à l'abattoir. Il y a là une injustice criante. Je veux croire que Dieu vous a

---

1. Dans *Germinal* (1885), Zola évoquera les chevaux, et il créera le « personnage » de Bataille, « le doyen de la mine, un cheval blanc qui avait dix ans de fond » (*OC*, t. V, p. 65).
2. Dans un texte de 1896, paru dans *Le Figaro* et repris dans *Nouvelle Campagne* (1897), Zola redira avec émotion son « amour des bêtes » (c'est le titre de la nouvelle) : « Pourquoi ai-je ainsi, au fond de ma mémoire, de grandes tristesses qui s'y réveillent parfois, des chiens sans maîtres, rencontrés il y a dix ans, vingt ans, et qui sont restés en moi comme la souffrance même du pauvre être qui ne peut parler et que son travail, dans nos villes, ne peut nourrir ? » (*OC*, t. XIV, p. 737). Les animaux sont fréquents dans l'œuvre, notamment dans les nouvelles. Voir ci-après *La Journée d'un chien errant* et *Une cage de bêtes féroces*.

donné plus d'intelligence qu'à nous, mais il vous a donné cette intelligence pour que vous rendiez sa création heureuse.

« Regarde-moi. Tes frères ont abusé de mes forces ; plus je les ai servis, plus ils ont été durs envers moi ; aujourd'hui, mon pauvre corps crie vengeance.

« Il est une loi de justice qui veut que le travailleur soit récompensé selon la tâche accomplie. Nous demandons à être traités selon cette loi et à gagner, pendant nos belles années, le repos et les soins que réclame notre vieillesse.

« Et ne dites pas que nous sommes des bêtes, bonnes à être frappées, créées pour le plus grand plaisir de l'homme. Nous sommes vos frères, frères simples d'esprit, et vous aurez à rendre compte un jour de l'emploi que vous aurez fait de nous. Alors, chacune de nos souffrances vous sera comptée comme un crime. Puisque nous sommes obéissants, soyez bons ; puisque nous consentons à vous servir toute une existence, consentez à nous donner une mort plus douce.

« Si tu as le cœur tendre, toi qui passes dans ce chemin, répète à tes frères ce que je viens de te dire. Ils ne t'écouteront pas, mais au moins je n'emporterai pas avec moi la vérité philosophique que j'ai mis ma vie entière à formuler. Oh ! la triste bête que je suis, la triste terre qui va me servir de tombe ! »

Le vieux cheval se tut, ou plutôt je m'éveillai. La pluie fine tombait toujours, je jetai un dernier regard sur le paysage morne, sur cette rosse et sur cette boue, puis je rentrai dans Paris qui allumait joyeusement ses lustres, se moquant du brouillard et du froid.

Je me suis révolté contre notre indifférence et notre égoïsme, et j'ai eu à cœur de contenter les derniers vœux d'une pauvre bête qui a pensé justement qu'une vérité était toujours bonne à dire.

Je m'apitoie peu sur la plaine de Montrouge, qui demain, au train dont nous allons, ne sera plus que

palais et que jardins publics. Mais je m'attendris sur
le sort du vieux cheval, et je demande pour lui un
autre hospice que l'abattoir.

« Eh quoi ! vraiment, une maison de retraite ?
– Pourquoi pas ? »

VILLÉGIATURE [1]

La boutique du bonnetier Gobichon est peinte en jaune clair ; c'est une sorte de couloir obscur, garni à droite et à gauche de casiers exhalant une vague senteur de moisi ; au fond, dans une ombre et un silence solennels, se dresse le comptoir. La lumière du jour et le bruit de la vie se refusent à se hasarder dans ce tombeau [2].

La *villa* du bonnetier Gobichon, située à Arcueil [3], est une maison à un étage, toute plate, bâtie en plâtre ; devant le corps de logis, s'allonge un étroit jardin enclos d'une muraille basse. Au milieu, se trouve un bassin qui n'a jamais eu d'eau ; çà et là se dressent quelques arbres étiques qui n'ont jamais eu de feuilles. La maison est d'une blancheur crue, le jardin est d'un gris sale. La Bièvre coule à cinquante pas, charriant des puanteurs [4] ; des terres crayeuses

1. Ce texte a d'abord paru le 1er mai 1865 dans *Le Petit Journal*, sous un titre qui rappelle les anciennes « physiologies » en vogue dans les années 1840 : *Variétés. Portraits-cartes. Le Boutiquier campagnard*. Il fut repris le 1er août 1868, sous le titre *Villégiature*, dans *L'Événement illustré*, et en septembre 1880 dans la *Revue moderne et naturaliste*. C'est cette dernière version que nous retenons.

2. De même, les boutiques du passage du Pont-Neuf, dans *Thérèse Raquin*, laissent « échapper des souffles froids de caveau » (*OC*, t. I, p. 525). On notera, en dépit des intentions humoristiques, le faisceau d'images de décomposition et de dégoût.

3. Le paysage d'Arcueil n'est pas très éloigné de celui de Montrouge. Voir ci-dessus *Le Vieux Cheval*. Zola a souvent dirigé ses pas dans cette direction en compagnie de ses amis peintres.

4. Après avoir traversé Villejuif, Arcueil et Gentilly, la Bièvre entrait à Paris sous le nom de rivière des Gobelins et fournissait

s'étendent à l'horizon, des débris, des champs bouleversés, des carrières béantes et abandonnées, tout un paysage de misère et de désolation.

Depuis trois années, Gobichon a l'ineffable bonheur d'échanger chaque dimanche l'ombre de sa boutique pour le soleil ardent de sa villa, l'air du ruisseau de sa rue pour l'air nauséabond de la Bièvre.

Pendant trente ans il a caressé le rêve insensé de vivre aux champs, de posséder des terres où il ferait bâtir le château de ses songes. Rien ne lui a coûté pour contenter son caprice de grand seigneur ; il s'est imposé les plus dures privations : on l'a vu, pendant trente ans, se refuser une prise de tabac et une tasse de café, empilant gros sous sur gros sous.

Aujourd'hui, il a assouvi sa passion. Il vit un jour sur sept dans l'intimité de la poussière et des cailloux. Il mourra content.

Chaque samedi, le départ est solennel. Lorsque le temps est beau, la route se fait à pied ; on jouit mieux ainsi des beautés de la nature.

La boutique est laissée à la garde d'un vieux commis qui a charge de dire à chaque client qui se présente :

« Monsieur et madame sont à leur villa d'Arcueil. »

Monsieur et madame, équipés en guerre, chargés de paniers, vont chercher à la pension voisine le jeune Gobichon, gamin d'une douzaine d'années, qui voit avec terreur ses parents prendre le chemin de la Bièvre. Et durant le trajet, le père, grave et heureux, cherche à inspirer à son fils l'amour des champs, en dissertant sur les choux et sur les navets.

On arrive, on se couche. Le lendemain, dès l'aurore, Gobichon passe la blouse du paysan : il est fermement décidé à cultiver ses terres ; il bêche, il pioche, il plante, il sème toute la journée. Rien ne pousse ; le sol, fait de sable et de gravats, se refuse à toute végétation. Le rude travailleur n'en essuie pas moins avec une vive satisfaction la sueur qui inonde

de l'eau à un grand nombre d'établissements industriels installés sur ses bords : tanneries, blanchisseries, teintureries.

son visage. En regardant les trous qu'il creuse, il s'arrête tout orgueilleux et il appelle sa femme :

« Madame Gobichon, venez donc voir ! crie-t-il. Hein ! quels trous ! sont-ils assez profonds ceux-là ! »

La bonne dame s'extasie sur la profondeur des trous.

L'année dernière, par un étrange et inexplicable phénomène, une salade, une romaine haute comme la main, rongée et d'un jaune sale, a eu le singulier caprice de pousser dans un coin du jardin. Gobichon a invité trente personnes à dîner pour manger cette salade.

Il passe ainsi la journée entière au soleil, aveuglé par la lumière crue, étouffé par la poussière. À son côté se tient son épouse, poussant le dévouement jusqu'à la suffocation. Le jeune Gobichon cherche avec désespoir les minces filets d'ombre que font les murailles.

Le soir, toute la famille s'assied autour du bassin vide et jouit en paix des charmes de la nature. Les usines du voisinage jettent une fumée noire ; les locomotives passent en sifflant, traînant toute une foule endimanchée bruyante ; les horizons s'étendent, dévastés, rendus plus tristes encore par ces éclats de rire qui rentrent à Paris pour une grande semaine. Et, mêlées aux puanteurs de la Bièvre, des odeurs de friture et de poussière passent dans l'air lourd.

Gobichon attendri regarde religieusement la lune se lever entre deux cheminées.

UNE VICTIME DE LA RÉCLAME [1]

J'ai connu un brave garçon qui est mort l'année dernière, et dont la vie a été un long martyre.

Claude, dès l'âge de raison, s'était tenu ce raisonnement : « Le plan de mon existence est tout tracé. Je n'ai qu'à accepter aveuglément les bienfaits de mon âge. Pour marcher avec le progrès et vivre parfaitement heureux, il me suffira de lire les journaux et les affiches, matin et soir, et de faire exactement ce que ces souverains guides me conseilleront. Là est la véritable sagesse, la seule félicité possible. » À partir de ce jour, Claude prit les réclames des journaux et des affiches pour code de sa vie. Elles devinrent le guide infaillible qui le décidait en toutes choses ; il n'acheta rien, n'entreprit rien qui ne lui fût recommandé par la grande voix de la publicité.

C'est ainsi que le malheureux a vécu dans un véritable enfer.

*

Claude avait acquis un terrain fait de terres rapportées, où il ne put bâtir que sur pilotis. La maison, construite selon un système nouveau, tremblait au vent et s'émiettait sous les pluies d'orage.

---

1. *Une victime de la réclame* a d'abord paru dans *L'Illustration* du 17 novembre 1866. Repris sous le titre *Une victime des annonces* dans *L'Événement illustré* du 29 août 1868, le texte apparaît ensuite comme *Causerie* dans *La Tribune* le 12 décembre 1869 et enfin dans la rubrique *Lettres parisiennes* de *La Cloche* du 29 juin 1872. C'est cette dernière version que nous retenons.

Réclame extraite de l'*Almanach des dames et des demoiselles*, 1879.

À l'intérieur, les cheminées, garnies de fumivores [1] ingénieux, fumaient à asphyxier les gens ; les sonnettes électriques s'obstinaient à garder le silence ; les cabinets d'aisances, établis sur un modèle excellent, étaient devenus d'horribles cloaques ; les meubles, qui devaient obéir à des mécanismes particuliers, refusaient de s'ouvrir et de se fermer.

Il y avait surtout un piano mécanique qui n'était qu'un mauvais orgue de Barbarie, et un coffre-fort incrochetable et incombustible que des voleurs emportèrent tranquillement sur leur dos par une belle nuit d'hiver.

*

Le malheureux Claude ne souffrait pas seulement dans ses propriétés, il souffrait dans sa personne.

Ses vêtements craquaient en pleine rue. Il les achetait dans ces maisons qui annoncent un rabais considérable pour cause de liquidation.

Je le rencontrai un jour complètement chauve. Il avait eu l'idée de changer ses cheveux blonds pour des cheveux noirs, toujours guidé par son amour du progrès. L'eau qu'il venait d'employer avait fait tomber ses cheveux blonds, et il était enchanté, parce que, disait-il, il pouvait maintenant faire usage d'une certaine pommade qui lui donnerait, à coup sûr, une chevelure noire deux fois plus épaisse que son ancienne chevelure blonde.

Je ne parlerai pas de toutes les drogues qu'il avala. De robuste qu'il était, il devint maigre et essoufflé. C'est alors que la réclame commença à l'assassiner. Il se crut malade, il se traita selon les excellentes recettes des annonces, et, pour que la médication fût plus énergique, il suivit tous les traitements à la fois, se trouvant très embarrassé devant l'égale quantité d'éloges décernés à chaque drogue.

---

1. Fumivores : dispositifs pour éviter la fumée.

*

La réclame ne respecta pas plus son intelligence. Il emplit sa bibliothèque des livres que les journaux lui recommandèrent. La classification qu'il adopta fut des plus ingénieuses : il rangea les volumes par ordre de mérite, je veux dire selon le plus ou le moins de lyrisme des articles payés par les éditeurs.

Toutes les sottises et toutes les infamies contemporaines s'entassèrent là. Jamais on ne vit pareil amas de turpitudes. Et Claude avait eu le soin de coller, sur le dos de chaque volume, la réclame qui le lui avait fait acheter.

Lorsqu'il ouvrait un livre, il savait ainsi à l'avance l'enthousiasme qu'il devait témoigner ; il riait ou il pleurait suivant la formule.

À ce régime, il devint complètement idiot.

*

Le dernier acte de ce drame fut navrant.

Claude, ayant lu qu'une somnambule guérissait tous les maux, s'empressa d'aller la consulter sur les maladies qu'il n'avait pas. La somnambule lui offrit obligeamment de le rajeunir en lui indiquant le moyen de n'avoir plus que seize ans. Il s'agissait simplement de prendre un bain et de boire une certaine eau.

Il avala la drogue, se plongea dans le bain, et il s'y rajeunit si absolument, qu'au bout d'une demi-heure, on l'y trouva étouffé.

Même après sa mort, Claude fut la victime des annonces. Par testament, il avait voulu être enseveli dans une bière à embaumement instantané, dont un droguiste venait de prendre le brevet. La bière, au cimetière, s'ouvrit en deux, et le misérable cadavre glissa dans la boue et dut être enterré pêle-mêle avec les planches rompues de la caisse.

Son tombeau, en carton-pierre et en similimarbre, détrempé par les pluies du premier hiver, ne fut bientôt plus sur sa fosse qu'un tas de pourriture sans nom.

Réclame extraite de l'*Almanach des dames et des demoiselles*, 1879.

LA JOURNÉE
D'UN CHIEN ERRANT [1]

Depuis que les chiens sont devenus citoyens, il y a parmi eux bon nombre de réfractaires qui ont fermement résolu de ne pas payer leurs contributions et de vivre sur le commun : ce sont les libres penseurs de la rue. On les rencontre par troupes, fouillant les ruisseaux, cherchant quelque aubaine. Ils ont leurs tristesses et leurs joies. L'échine maigre, le poil boueux, ils filent parfois le long des maisons, honteux et affamés ; parfois, quand ils ont découvert une pelletée d'os dans un tas d'ordures, ils se vautrent au soleil, le ventre réjoui par les rayons tièdes, le museau allongé et frémissant d'aise.

J'ai souvent étudié leur physionomie. Ils ont l'allure débraillée, hardie et goguenarde de nos gamins. Ils mordent quand ils ont dîné, ils rampent lorsque leur ventre est vide. Ces malheureuses bêtes ont perdu tout sens moral. Ils refusent la civilisation et la civilisation les renie. Ils vivent d'expédients, en intrigants nécessiteux, échangeant un morceau de viande contre un coup de bâton.

---

1. *La Journée d'un chien errant* a d'abord paru dans *Le Figaro* du 1er décembre 1866, précédé du titre *Dans Paris*. Les chiens furent ensuite remplacés par des chats, et le texte modifié apparut comme *Causerie* dans *La Tribune* du 1er novembre 1868, puis dans la rubrique des *Lettres parisiennes* de *La Cloche* du 12 juin 1872, avant de figurer dans les *Nouveaux Contes à Ninon* sous le titre *Le Paradis des chats*. Nous avons choisi de présenter ici la première version du *Figaro*, plus pittoresque.

À vrai dire, j'éprouve de la sympathie pour eux. Soyez certains que ce sont des bohèmes poètes qui aiment mieux philosopher et rimer au grand air que d'être chaudement et bêtement couchés sur un coussin, entre quatre murs. Je sais bien qu'ils vivent en guerre ouverte avec la société, mais la société est solide, et les chiens errants sont de pauvres diables qui se perdent bien trop haut dans leurs rêves pour songer aux peuples et aux rois.

Tout ceci est pour amener à point l'histoire que je vais vous conter. Un vieil épagneul que m'a légué mon grand-oncle – hélas ! il ne m'a légué que ce chien – m'a fait un récit navrant, hier soir.

Nous nous chauffions tous deux au coin du feu, tristes et regardant les cendres rouges. Tom devint subitement bavard : « Ah ! le bon feu, dit-il, et comme les souvenirs chantent devant la braise ! Je vais vous raconter une histoire, mon cher maître, une histoire de ma jeunesse. »

I

J'avais alors environ un an, et j'étais bien le chien le plus naïf qu'on puisse voir. La jeunesse est présomptueuse ; elle commet les plus grandes folies en croyant faire acte de sagesse.

Vous savez combien votre grand-oncle m'aimait. J'avais, dans un grand placard, toute une petite chambre, et une triple couverture étendue sur le sol faisait de ce réduit le lit le plus moelleux qu'on puisse imaginer. La nourriture valait le coucher ; jamais de pain, jamais de soupe, rien que de la viande, de la bonne viande saignante. Quant au sucre, vous n'ignorez pas que je ne l'aime plus ; j'en ai trop mangé dans ma jeunesse. Je vous avoue que le sucre avait fini par me faire mal au cœur, et je l'acceptais uniquement pour ne pas désobliger votre grand-oncle.

Eh bien ! au milieu de ces douceurs, je n'avais qu'un désir, celui de me glisser par la porte entrouverte et de me sauver dans la rue. Les caresses me semblaient fades, la mollesse de mon lit me donnait des nausées ; j'étais gras à m'en écœurer moi-même, et je m'ennuyais toute la journée à être heureux.

Il faut vous dire qu'en allongeant le cou, j'avais vu de la fenêtre le trottoir d'en face. Quatre chiens, ce jour-là, s'y battaient en hurlant de joie ; ils se roulaient sur le pavé, en plein soleil, maigres et fiers. Jamais je n'avais contemplé un spectacle si merveilleux. Je me mis à aboyer en signe de détresse, et votre grand-oncle se hâta de me faire taire en m'offrant un morceau de sucre qu'il me fallut avaler.

Dès ce moment, mes croyances furent fixées. Le véritable bonheur était derrière cette maudite porte qu'on fermait si soigneusement. Et je me donnais pour preuve qu'on fermait aussi les portes des armoires, derrière lesquelles on mettait la viande. J'arrêtai le projet de m'enfuir. Certainement il devait y avoir dans la vie autre chose que du sucre et de la chair saignante. C'était là l'inconnu, l'idéal, vers lequel tendait tout mon être. Un jour, on oublia de pousser la porte, et je descendis l'escalier en courant.

II

Que la rue était belle ! Elle était bordée de larges ruisseaux qui exhalaient des senteurs délicieuses. La boue que soulevaient mes pattes, éclaboussait mon poil avec des caresses tièdes d'une douceur infinie. Il me semblait que je marchais sur du velours. Et il faisait une bonne chaleur au soleil, une chaleur fraîche qui pénétrait ma graisse et la fondait pour ainsi dire.

Je ne vous cacherai pas que je tremblais de tous mes membres. Il y avait de l'épouvante dans ma joie et dans mon admiration. Je me souviens surtout d'une terrible émotion que j'éprouvai alors : trois chiens, qui se roulaient dans la boue, vinrent tout à coup sur moi en aboyant, et je faillis m'évanouir. Ils me traitèrent de grosse bête et me dirent qu'ils aboyaient pour rire. Et je me mis à aboyer comme eux, à me vautrer dans la boue, à jouer à une foule de jeux charmants avec mes nouveaux camarades.

C'étaient des gaillards, eux. Ils n'avaient pas ma bête de graisse, et ils se moquaient de moi, lorsque je roulais comme une boule sur les trottoirs. Je me rappelai plus tard qu'ils échangèrent des regards de pitié, lorsque je leur racontai naïvement mon histoire.

Un vieux dogue de la bande me prit particulièrement en amitié. Il m'offrit de faire mon éducation, et je l'acceptai comme précepteur.

Ah ! que le sucre de votre grand-oncle était loin ! Je bus au ruisseau, et je déclarai n'avoir jamais goûté un pareil nectar. Tout me parut beau et bon. Je connaissais enfin le bonheur parfait, l'idéal, qui est de vivre au soleil, librement, en aboyant quand on veut.

Une chienne passa, une ravissante chienne dont la vue m'emplit d'une émotion inconnue. Mes rêves seuls m'avaient jusque-là montré ces créatures exquises qui rendent fous les plus sages des chiens. Nous nous précipitâmes à la rencontre de la nouvelle venue, mes quatre compagnons et moi. Je devançai les autres, j'allais faire mon compliment à la chienne, lorsqu'un de mes amis me mordit brusquement au cou. Je poussai un cri de douleur et de désespoir.

« Bah ! me dit le vieux dogue en m'entraînant, vous en verrez bien d'autres. »

III

Nous avions fait un bon bout de chemin en nous poursuivant les uns les autres, et je commençais à me sentir un appétit féroce.

« Qu'est-ce qu'on mange dans la rue ? demandai-je à mon ami le dogue.

— Ce qu'on trouve », me répondit-il doctement.

Cette réponse m'embarrassa, car j'avais beau chercher, je ne trouvais rien. J'aperçus alors, de l'autre côté de la rue, une magnifique boutique où étaient entassés de gros morceaux de viande proprement coupés.

« Voilà mon affaire », pensai-je naïvement.

Et je sautai sur une des tables de marbre qui étaient à l'entrée de la boutique. Je pris une large côte de bœuf, et j'allais l'emporter, lorsqu'un garçon en tablier blanc m'assena sur l'échine un terrible coup de bâton. Je lâchai la viande et je me sauvai en hurlant.

« Bon Dieu, me dit le dogue, vous sortez donc de votre village. La viande qui est sur les tables, est seulement faite pour être regardée de loin. C'est dans la boue qu'il faut chercher. »

Mon étonnement était aussi grand que ma douleur. Jamais je ne pus comprendre que la viande des rues n'appartînt pas aux chiens. Elle était là toute prête, étalée devant les désirs de chacun, et, puisque je me donnais la peine de monter la prendre, il était injuste de ne pas me la laisser emporter.

Mon ventre commençait à se fâcher sérieusement. L'eau des ruisseaux était décidément peu substantielle ; elle perdait mon estime. Je cherchai dans la boue en toute inutilité, et le dogue me prévint qu'il fallait attendre la nuit, l'heure où l'on vide les ordures devant les portes. Attendre la nuit ! Il disait cela tranquillement, en philosophe endurci, et la pensée seule de cette attente me déchirait les entrailles.

Tout à coup le dogue se mit à trembler. Il se fit petit, petit, et fila sournoisement le long des maisons, en me disant de le suivre au plus vite. Dès qu'il trouva une porte cochère, il s'y réfugia à la hâte, en poussant un grognement de satisfaction. Comme je l'interrogeais sur cette fuite :

« Avez-vous vu cet homme qui avait une épée ? me demanda-t-il.

– Oui.

– Eh bien ! s'il nous avait aperçus, il nous aurait emmenés et on nous aurait pendus.

– Pendus ! m'écriai-je ; mais la rue ne nous appartient donc pas ! La vie libre au soleil, le bonheur parfait, l'idéal sont donc de vains mots !... On ne mange pas et on est pendu ! »

IV

La nuit vint, froide et boueuse. La pluie tomba, mince et pénétrante, fouettée par le vent qui soufflait d'une façon sinistre. Bon Dieu ! que la rue était laide ! Ce n'étaient plus cette bonne chaleur, ce large soleil, ces trottoirs blancs de lumière où l'on se vautrait si délicieusement. Je regrettais avec amertume la triple couverture et les quatre murs de ma prison.

On vida les ordures devant les portes, et je fouillai les tas, désespéré et affamé. Je rencontrai quelques os maigres qui avaient traîné dans la cendre, et je m'avouai que la viande est autrement succulente. C'est alors que je pus comprendre combien le sucre est doux.

Mon ami le dogue grattait les ordures en artiste. Il me fit courir jusqu'au jour, visitant chaque ruisseau, ne se pressant point. Je tombais de lassitude. Pendant près de dix heures, je reçus la pluie sur mon dos, je grelottai de tous mes membres. Nous allions ainsi dans la nuit obscure, pataugeant, couverts de fange, exténués. Maudite rue, maudite liberté, et comme je souhaitais ardemment l'esclavage !

Au jour, le dogue, voyant que je chancelais :

« Eh bien ! me demanda-t-il, en avez-vous assez ?

– Oh ! oui, lui répondis-je.

– Voulez-vous rentrer chez vous ?

– Certes ! mais comment retrouver la maison ?

– Venez, la leçon suffira, je pense. Ce matin je vous ai vu sortir, j'ai compris qu'un pauvre toutou comme vous n'était pas fait pour les joies âpres de la rue. Je connais votre demeure, et je vais vous mettre à votre porte. »

Il disait cela simplement, ce digne chien. Lorsque nous fûmes arrivés :

« Adieu, me dit-il sans témoigner la moindre émotion.

– Non, m'écriai-je, nous ne nous quitterons pas comme cela. Vous allez venir avec moi. Nous partagerons le même lit et la même pâtée. Mon maître est un brave homme… »

Il ne me laissa pas achever.

« Taisez-vous, me dit-il brusquement, vous êtes un enfant. Si je me présentais, votre maître me mettrait à la porte d'un coup de pied, et il aurait raison. Qui voudrait d'un vieux chenapan comme moi qui a laissé de ses poils dans tous les ruisseaux de Paris ? J'ai vécu sur les tas d'ordures, je mourrai sur un tas d'ordures… Bonsoir. »

Et il alla se coucher sur la place voisine, au soleil levant.

Quand je rentrai, votre grand-oncle prit le fouet et m'administra une correction que je reçus avec une joie profonde. Je goûtai largement la volupté d'avoir chaud et d'être battu. Pendant qu'il me frappait, je songeais avec délices à la viande et au sucre que je mangerais dans la journée.

Ah ! voyez-vous, conclut Tom en s'allongeant devant la braise, le véritable bonheur, l'idéal, mon cher maître, est d'être enfermé et battu dans une pièce où il y a du sucre et de la viande.

Je parle pour les chiens.

UN MARIAGE D'AMOUR [1]

Le roman que publie *Le Figaro* et qui obtient un si légitime succès d'émotion [2], me rappelle une terrible histoire de passion et de souffrance. Je vais la conter en quelques mots, me réservant d'écrire un jour le volume qu'elle demanderait. Si je me décide à la faire connaître aujourd'hui, c'est qu'elle renferme une haute leçon et qu'elle montre le coupable trouvant une effroyable punition dans l'impunité même de son crime.

Imaginez que Furbice ait épousé Margaï, après avoir réussi à cacher l'assassinat de Pascoul à la justice des hommes. Les deux meurtriers, l'amant et la femme adultère, ont sauvé leur honneur ; ils vont maintenant vivre la vie de félicité qu'ils ont rêvée ; les voilà réunis à jamais, liés par la volupté et par le sang, pouvant contenter enfin à l'aise leurs appétits de richesse et de luxure [3].

---

1. Le texte a paru sous la rubrique *Dans Paris*, dans *Le Figaro* du 24 décembre 1866. Cette nouvelle au titre ironique forme le scénario de *Thérèse Raquin*, le premier grand roman dramatique de Zola, qui sera rédigé à un rythme rapide et paraîtra en volume en novembre 1867. Ce sera un événement littéraire.

2. Il s'agit d'un roman-feuilleton d'Adolphe Belot et Ernest Daudet, *La Vénus de Gordes*, paru dans *Le Figaro* entre le 16 novembre et le 26 décembre 1866.

3. *La Vénus de Gordes* est la transposition d'un fait divers qui se produisit à Gordes, dans le Vaucluse : l'assassinat d'un mari par l'amant de sa femme. Les deux complices se retrouvèrent devant la cour d'assises et furent condamnés à perpétuité. Zola, qui cherche à exploiter l'idée de la fatalité « interne » du châtiment, imagine que le crime échappe à la justice.

Écoutez l'histoire d'un semblable mariage d'amour.

*

Michel avait vingt-cinq ans lorsqu'il épousa Suzanne, une jeune femme de son âge, d'une maigreur nerveuse, ni laide, ni belle, mais ayant dans son visage effilé deux grands beaux yeux qui allaient largement d'une tempe à l'autre. Ils vécurent trois années sans querelles, ne recevant guère que Jacques, un ami du mari, dont la femme devint peu à peu passionnément amoureuse [1]. Jacques se laissa aller à la douceur cuisante de cette passion. D'ailleurs, la paix du ménage ne fut pas troublée ; les amants étaient lâches, et reculaient devant la certitude d'un scandale. Sans en avoir conscience, ils en arrivèrent lentement au projet de se débarrasser de Michel. Un meurtre devait tout arranger, en leur permettant de s'aimer en liberté et selon la loi.

Un jour, ils décidèrent le mari à faire une partie de campagne. On alla à Corbeil, et là, lorsque le dîner eut été commandé, Jacques proposa et fit accepter une promenade en canot sur la Seine. Il prit les rames et descendit la rivière, tandis que ses compagnons chantaient et riaient comme des enfants.

Quand la barque fut en pleine Seine, cachée derrière les hautes futaies d'une île, Jacques saisit brusquement Michel et essaya de le jeter à l'eau. Suzanne cessa de chanter ; elle détourna la tête, pâle, les lèvres serrées, silencieuse et frissonnante. Les deux hommes luttèrent un instant sur le bord de la barque qui s'enfonçait en craquant. Michel, surpris, ne pouvant comprendre, se défendit, muet, avec l'instinct d'une bête qu'on attaque ; il mordit Jacques à la joue, enleva presque le morceau, et

---

1. Cette triangulation amoureuse est récurrente dans les romans de Zola, depuis *La Confession de Claude*.

tomba dans la rivière en appelant sa femme avec rage et terreur. Il ne savait pas nager [1].

Alors Jacques, prenant Suzanne dans ses bras, se jeta à l'eau de façon à faire chavirer la barque. Puis il se mit à crier, à appeler au secours. Il soutenait la jeune femme, et, comme il était excellent nageur, il atteignit aisément la rive, où plusieurs personnes se trouvaient déjà rassemblées.

La terrible comédie était jouée. Suzanne, évanouie et froide, gisait sur le sable ; Jacques pleurait, se désespérait, implorant de prompts secours pour son ami. Le lendemain, les journaux racontèrent l'accident, et les amants ayant toujours été aussi prudents que lâches, la pensée qu'un crime avait pu être commis ne vint à personne. Jacques en fut quitte pour expliquer la large morsure de Michel, en disant qu'un clou de la barque lui avait déchiré la joue.

*

Il fallait attendre au moins treize mois. Les amants s'étaient concertés à l'avance et avaient décidé qu'ils agiraient avec la plus grande prudence. Ils évitèrent de se voir ; ils ne se rencontrèrent que devant témoins.

Le moindre empressement aurait peut-être éveillé les soupçons.

Jacques, pendant les huit premiers jours, alla régulièrement à la Morgue chaque matin. Quand il eut retrouvé et reconnu sur une des dalles blanches le cadavre de Michel, il le réclama au nom de la veuve et le fit enterrer. Il avait commis froidement le crime, et éprouva un frisson d'épouvante en face de sa victime horriblement défigurée, toute marbrée de taches bleues et vertes. Dès lors, il eut toujours

---

1. C'est ainsi que, dans *Thérèse Raquin*, Laurent assassinera le faible Camille. Dans *La Vénus de Gordes*, le mari était tué d'un coup de fusil.

devant les yeux le visage gonflé et grimaçant du noyé [1].

Dix-huit mois s'écoulèrent. Les amants se virent rarement ; à chaque rencontre, ils éprouvèrent un étrange malaise. Ils attribuèrent cette sensation pénible à la peur, à l'âpre désir qu'ils avaient d'en finir avec cette funèbre histoire, en se mariant et en goûtant enfin les douceurs de leur amour. Jacques souffrait surtout de sa solitude ; les dents de Michel avaient laissé sur sa joue des traces blanches, et il semblait parfois au meurtrier que ces cicatrices brûlaient sa chair et dévoraient son visage. Il espérait que Suzanne, sous ses baisers, apaiserait la cuisson des terribles brûlures.

Quand ils crurent avoir assez attendu, ils se marièrent et toutes leurs connaissances applaudirent. Ils goûtèrent, pendant les préparatifs de la noce, une joie nerveuse qui les trompa eux-mêmes. La vérité était que, depuis le crime, ils frissonnaient tous deux la nuit, secoués par d'effrayants cauchemars, et qu'ils avaient hâte de s'unir contre leur épouvante pour la vaincre.

*

Lorsqu'ils se trouvèrent seuls dans la chambre nuptiale, ils s'assirent, embarrassés et inquiets, devant un feu clair qui éclairait la pièce de larges clartés jaunes.

Jacques voulut parler d'amour, mais sa bouche était sèche, et il ne put trouver un mot ; Suzanne, glacée et comme morte, cherchait en elle avec désespoir sa passion qui s'en était allée de sa chair et de son cœur.

Alors, ils essayèrent d'être banals et de causer comme des gens qui se seraient vus pour la première fois. Mais les paroles leur manquèrent. Tous deux ils

---

1. L'évocation du corps du noyé à la Morgue sera considérablement développée dans le chapitre XIII de *Thérèse Raquin.*

pensaient invinciblement au pauvre noyé, et, tandis qu'ils échangeaient des mots vides, ils se devinaient l'un l'autre. Leur causerie cessa ; dans le silence, il leur sembla qu'ils continuaient à s'entretenir de Michel. Ce terrible silence, plein de phrases épouvantées et cruelles, devenait accablant, insoutenable. Suzanne, toute blanche dans sa toilette de nuit, se leva et, tournant la tête :

« Vous l'avez vu à la Morgue ? demanda-t-elle d'une voix étouffée.

— Oui, répondit Jacques en frissonnant.

— Paraissait-il avoir beaucoup souffert ? »

Jacques ne put répondre. Il fit un geste, comme pour écarter une vision ignoble et odieuse, et il s'avança vers Suzanne, les bras ouverts.

« Embrasse-moi, dit-il en tendant la joue où se montraient des marques blanches.

— Oh ! non, jamais..., pas là ! » s'écria Suzanne qui recula en frémissant.

Ils s'assirent de nouveau devant le feu, effrayés et irrités. Leurs longs silences étaient coupés par des paroles amères, par des reproches et des plaintes.

Telle fut leur nuit de noces.

*

Dès lors, un drame navrant se passa entre les deux misérables. Je ne puis en raconter tous les actes [1], et je me contente d'indiquer brièvement les principales péripéties.

Le cadavre de Michel se mit entre Jacques et Suzanne. Au lit, ils s'écartaient l'un de l'autre et semblaient lui faire place. Dans leurs baisers, leurs lèvres devenaient froides, comme si la mort se fût placée entre leurs bouches. Et c'étaient des terreurs continuelles, des effrois brusques qui les séparaient,

---

1. *Thérèse Raquin* sera effectivement construit comme une tragédie, avec ses « actes », ses « scènes », ses « décors » et ses « péripéties ».

des hallucinations qui leur montraient leur victime partout et à chaque heure.

Cet homme et cette femme ne pouvaient plus s'aimer. Ils étaient tout à leur épouvante. Ils ne vivaient ensemble que pour se protéger contre le noyé. Parfois encore ils se serraient avec force l'un contre l'autre, s'unissaient avec désespoir, mais c'était afin d'échapper à leurs sinistres visions.

Puis la haine vint. Ils s'irritèrent contre leur crime, ils se désespérèrent d'avoir troublé leur vie à jamais. Alors ils s'accusèrent mutuellement. Jacques reprocha amèrement à Suzanne de l'avoir poussé au meurtre et Suzanne lui cria qu'il mentait et qu'il était le seul coupable. La colère accroissait leurs angoisses, et chaque jour, pour le moindre souvenir, la querelle recommençait, plus âpre et plus cruelle. Les deux assassins tournaient ainsi comme des bêtes fauves, dans la vie de souffrance qu'ils s'étaient faite, se déchirant eux-mêmes, haletants, obligés de se taire.

Suzanne regretta Michel, le pleura tout haut, vanta au meurtrier les vertus de sa victime, et Jacques dut vivre en entendant toujours parler de cet homme qu'il avait jeté à l'eau et dont le cadavre était si horrible sur une dalle de la Morgue. Il avait souvent des heures de délire, et il accablait sa complice d'injures, la battait, lui répétait avec des cris l'histoire du meurtre, et lui prouvait que c'était elle qui avait tout fait, en lui donnant la folie de la passion.

S'il n'avait eu peur de trop souffrir, il se serait coupé la joue, pour enlever les traces des dents de Michel. Suzanne pleurait en regardant ces cicatrices, et le visage de Jacques était devenu pour elle un objet d'horreur dont la vue la secouait d'un éternel frisson.

*

Enfin se joua le dernier acte de ce drame poignant. Après la haine, vinrent la crainte et la lâcheté ; les deux assassins eurent peur l'un de l'autre.

Ils comprirent qu'ils ne pouvaient vivre plus longtemps dans la fièvre du remords ; ils voyaient avec
terreur leur abattement mutuel, et ils tremblaient en
pensant que l'un d'eux parlerait à coup sûr un jour
ou l'autre.

Alors ils se surveillèrent ; leurs souffrances étaient
intolérables, mais ils ne voulaient pas la délivrance
par le châtiment. Ils se suivirent partout, ils s'étu-
dièrent dans leurs moindres actes ; à chaque nouvelle querelle, ils se menaçaient de tout dire, puis ils
se suppliaient à mains jointes de garder le silence, et
ils restaient soupçonneux et farouches. Vie terrible,
qui les traînait dans toutes les angoisses du remords
et de l'effroi [1].

Ils en vinrent chacun à l'idée de se débarrasser
d'un complice redoutable. Suzanne espérait vivre
plus calme, lorsqu'elle ne verrait plus la joue couturée de Jacques, et Jacques pensait pouvoir tuer son
premier crime en tuant Suzanne.

Un jour, ils se surprirent, versant mutuellement
du poison dans leurs verres [2]. Ils éclatèrent en sanglots, leur fièvre tomba, et ils se jetèrent dans les bras
l'un de l'autre. Ils pleurèrent longtemps, demandant
pardon, comprenant leur infamie, se disant que
l'heure était venue de mourir. Ce fut là une dernière
crise qui les soulagea.

Ils burent chacun le poison qu'ils avaient versé, et
expirèrent à la même heure, liés dans la mort comme
ils avaient été liés dans le crime. On trouva sur une
table leur confession, et c'est après avoir lu ce testament sinistre, que j'ai pu écrire l'histoire de ce
mariage d'amour.

---

1. Dans *Thérèse Raquin*, Zola introduit dès le début le personnage de Mme Raquin, la mère de l'assassiné. Atteinte de paralysie
et muette, mais ayant découvert la vérité, elle devient pour les
amants coupables un reproche lancinant jusqu'à l'issue fatale.

2. Dans le roman, Laurent s'apprête effectivement à utiliser le
poison, mais Thérèse s'est saisie d'un poignard pour assassiner
son mari. Le dénouement, conforme au scénario d'*Un mariage
d'amour*, est cependant mis en scène de façon très mélodrama-
tique.

LA NEIGE [1]

Vers le soir, un nuage d'un gris rose monte de l'horizon et lentement emplit le ciel. De petits souffles froids s'élèvent et font frissonner l'air. Puis, un grand silence, une immobilité douce et glaciale descend sur Paris qui s'endort. La ville noire sommeille, la neige se met à tomber avec lenteur dans la sérénité glacée de l'espace. Et le ciel couvre sans bruit l'immense cité endormie d'un tapis virginal et pur.

Lorsque Paris s'est éveillé, il a vu que, pendant la nuit, la nouvelle année avait mis une robe blanche à la ville. La ville semblait toute jeune et toute chaste. Il n'y avait plus ni ruisseaux, ni trottoirs, ni pavés noirâtres : les rues étaient de larges rubans de satin blanc ; les places, des pelouses toutes blanches de pâquerettes. Et les pâquerettes de l'hiver avaient aussi fleuri sur les toits sombres. Chaque saillie, les bords des fenêtres, les grilles, les branches des arbres portaient de légères garnitures de dentelle.

On eût dit que la cité était une petite fille, ayant la jeunesse tendre de la nouvelle année. Elle venait de jeter ses haillons, sa boue et sa poussière, et elle avait mis ses belles jupes de gaze. Elle respirait doucement, d'une haleine pure et fraîche ; elle étalait avec une coquetterie enfantine sa parure d'innocence.

---

1. Le texte a paru sous la rubrique *Dans Paris* dans *Le Figaro* du 17 janvier 1867. Il fut repris sous la même rubrique dans la *Revue moderne et naturaliste* en janvier 1880. C'est cette dernière version que nous avons retenue.

C'était une surprise qu'elle ménageait à ses habitants ; pour leur plaire, elle effaçait ses souillures, elle leur souriait au réveil, dans tout l'éclat de sa beauté de vierge. Et elle semblait leur dire : « Je me suis faite belle pendant que vous dormiez. J'ai voulu vous souhaiter la bonne année, vêtue de blancheur et d'espérance [1]. »

*

Et voilà que, depuis hier, la ville est de nouveau toute blanche et toute chaste.

Le matin, en hiver, lorsqu'on pousse les persiennes de sa fenêtre, rien n'est attristant comme la rue noire d'humidité et de froid. L'air sue un brouillard jaunâtre qui traîne lugubrement contre les murs.

Mais quand la neige est venue, pendant la nuit, tendre sans bruit son épais tapis sur la terre, on pousse une légère exclamation de joie et de surprise. Toutes les laideurs de l'hiver s'en sont allées ; chaque maison ressemble à une belle dame qui aurait mis ses fourrures ; les toits se détachent gaiement sur le ciel pâle et clair ; on est en pleine floraison du froid.

Depuis hier, Paris éprouve cette gaieté que la neige donne aux petits et aux grands enfants. On est tout bêtement joyeux, – parce que la terre est blanche.

*

Il y a, dans Paris, des paysages d'une largeur incomparable. L'habitude nous a rendus indiffé-

---

1. Zola est l'un des grands poètes de la capitale. Il était, comme Baudelaire, fasciné par une ville dont il a su saisir la beauté *moderne*. Ce texte peut d'ailleurs être rapproché des petits poèmes en prose du *Spleen de Paris*. Zola composera d'autres vues de Paris sous la neige, notamment dans *L'Assommoir* et dans *Une page d'amour*.

rents. Mais les flâneurs – ceux qui rôdent le nez au vent, en quête d'émotions et d'admiration, – connaissent bien ces paysages [1]. Pour moi, j'aime d'amour le bout de Seine qui va de Notre-Dame au pont de Charenton ; je n'ai jamais vu un horizon plus étrange et plus large.

Par un temps de neige, ce paysage a encore plus d'ampleur. La Seine coule noire et sinistre, entre deux bandes d'un blanc éclatant ; les quais s'allongent, silencieux et déserts ; le ciel paraît immense, d'un gris perle, doux et morne. Et il y a, dans cette eau fangeuse qui gronde, au milieu de ces blancheurs et de ces apaisements, une mélancolie poignante, une douceur amère et triste.

Un bateau, ce matin, descendait la rivière. La neige l'avait empli, et il faisait une tache blanche sur l'eau funèbre. On aurait dit un morceau de la rive qui s'en allait au fil du courant.

*

Quel écrivain se chargera de dessiner à la plume les paysages de Paris ? Il lui faudrait montrer la ville changeant d'aspect à chaque saison, noire de pluie et blanche de neige, claire et gaie aux premiers rayons de mai, ardente et affaissée sous les soleils d'août.

Je viens de traverser le jardin du Luxembourg, et je n'en ai reconnu ni les arbres ni le parterre. Ah ! que sont loin les verdures moirées d'or par les clartés jaunes et rouges du couchant ! Je me suis cru dans un cimetière. Chaque plate-bande ressemble au marbre colossal d'un tombeau : les arbustes font çà et là des croix noires.

---

1. Baudelaire, qui songeait à regrouper ses poèmes en prose sous le titre *Le Rôdeur parisien*, s'était exclamé dans son *Salon de 1846* : « La vie parisienne est féconde en sujets poétiques et merveilleux. Le merveilleux nous enveloppe et nous abreuve comme l'atmosphère ; mais nous ne le voyons pas » (*Œuvres complètes, op. cit.*, t. II, p. 496).

Les marronniers des quinconces sont d'immenses lustres en verre filé. Le travail est exquis ; chaque petite branche est ornée de fins cristaux ; des broderies délicates couvrent l'écorce brune. On n'oserait toucher à ces verreries légères, on aurait peur de les casser.

Dans la grande allée, les promenades sont éventrées. Une rue va traverser brutalement les feuillages, et les terrassiers ont déjà fouillé le sol, par larges blessures. On dirait des fosses communes. La neige posée sur les bords de ces tranchées les fait bâiller sinistrement ; elles paraissent toutes noires à côté de ces blancheurs, et elles semblent attendre les misérables bières des pauvres gens. Un étranger croirait que la peste vient de s'abattre sur Paris, et qu'on utilise le Luxembourg pour enterrer les morts.

Quelle désolation ! la terre couturée montre ses entrailles brunes ; les roues des charrettes ont creusé de profondes ornières, et la neige sale et piétinée s'étale comme un haillon troué qu'on aurait étendu sur le sol pour en couvrir les plaies, et qui en cacherait mal les misères et les horreurs [1].

Et les arbres, les grands lustres en verre filé, gardent seuls leurs fines ciselures ; là-bas, sur la terrasse, les statues grelottent sous leurs manteaux blancs, et regardent, par-dessus les balustrades, les pelouses vierges et immaculées.

*

Il y a cependant des Parisiens qui ont pour la neige une médiocre estime ; je veux parler des moineaux, de ces pierrots gris et alertes dont la turbulence et l'effronterie sont légendaires.

Ils se moquent de la pluie et de la poussière ; ils savent courir dans la boue sans se salir les pattes. Mais les pauvres petits jettent des appels désespérés, lorsqu'ils sautent dans la neige en quête d'une mie

---

1. Voir ci-dessus la description similaire dans *Le Vieux Cheval*.

de pain. Ils ont perdu leurs allures tapageuses et goguenardes ; ils sont humbles et irrités, ils crient famine, ils ne reconnaissent plus les bons endroits où, d'habitude, ils déjeunent grassement, et ils s'en vont d'un vol effarouché, engourdis de faim et de froid.

Interrogez les habitants des mansardes. Tous vous diront que, ce matin, des pierrots sont venus à coups de bec frapper à leurs vitres. Ils demandaient à entrer, pour manger et se chauffer. Ce sont de petits êtres hardis et confiants qui connaissent les hommes et qui savent bien que nous ne sommes pas méchants. Ils ont mangé à nos pieds dans les rues, ils peuvent bien manger à nos tables dans nos demeures.

Ceux qui leur ont ouvert les ont vus entrer, caressants et souples. Ils se sont posés sur le coin d'un meuble, réjouis par la chaleur, gonflant leurs plumes, et ils ont becqueté avec délices le pain émietté devant eux. Puis, dès qu'un rayon de soleil a rendu la neige toute rose, ils s'en sont allés d'un coup d'aile, en poussant un léger cri de remerciement.

*

J'ai vu, au carrefour de l'Observatoire, un groupe d'enfants grelottants et ravis. Ils étaient trois : deux garçons d'une dizaine d'années, portant le costume napolitain, et une fillette de huit ans, hâlée par les soleils de Naples. Ils avaient posé sur un tas de neige leurs instruments, deux harpes et un violon.

Les deux garçons se battaient à coups de boules de neige, en laissant échapper des rires aigus. La fillette, accroupie, plongeait avec ravissement ses mains bleuies dans la blancheur du sol. Sa tête brune avait un air d'extase sous le lambeau d'étoffe qui la couvrait. Elle ramenait entre ses jambes sa jupe de laine rouge, et l'on voyait ses pauvres petites jambes nues qui tremblaient. Elle était glacée et elle souriait de tout l'éclat de ses lèvres roses [1].

Ces enfants ne connaissaient sans doute que les ardeurs accablantes du soleil ; le froid, la neige souple et cuisante étaient une fête pour eux. Oiseaux passagers des rues, ils venaient des contrées brûlantes et âpres, ils oubliaient la faim en jouant avec les blanches floraisons de l'hiver.

Je me suis approché de la fillette.

« Tu ne crains donc pas le froid ? » lui ai-je demandé.

Elle m'a regardé avec une effronterie enfantine, en élargissant ses yeux noirs.

« Oh ! si, m'a-t-elle répondu dans son jargon. Les mains me brûlent. C'est très amusant.

– Mais tu ne pourras plus tenir ton violon, tout à l'heure. »

Elle a paru effrayée et a couru chercher l'instrument. Puis, assise dans la neige, elle s'est mise à racler les cordes de toute la force de ses doigts engourdis. Elle accompagnait cette musique barbare d'un chant perçant et saccadé qui me déchirait les oreilles.

Ses jupes rouges faisaient sur la neige une tache ardente. C'était le soleil de Naples éteint au milieu des brouillards de Paris.

*

Mais la cité ne garde pas longtemps sa belle robe blanche. Sa toilette d'épousée n'est jamais qu'un déjeuner de soleil. Le matin, elle met toutes ses dentelles, sa gaze la plus légère et son satin le plus brillant, et souvent, le soir, elle a déjà souillé et déchiré sa parure. Quelques jours après, sa robe blanche était en lambeaux.

---

1. Zola ordonne son tableau à la manière (espagnole) de Manet, lui aussi grand flâneur de Paris : groupe d'enfants des rues, intérêt porté aux habits et aux instruments de musique, pigments vifs et purs, contrastes et masses sombres...

L'air devient plus doux, la neige bleuit, de minces filets d'eau coulent le long des murs, et alors le dégel commence, l'affreux dégel qui emplit les rues de boue. La ville entière sue l'humidité ; les murailles sont grises et gluantes, les arbres semblent pourris et morts, les ruisseaux se changent en des cloaques noirâtres et infranchissables.

Et Paris est plus fangeux, plus funèbre, plus sale qu'auparavant. Il a voulu se vêtir d'étoffes délicates, et ces étoffes sont devenues des haillons qui traînent ignoblement sur les pavés.

LES DISPARITIONS
MYSTÉRIEUSES [1]

Depuis quelques semaines, les Parisiens romanesques peuvent se croire aux plus terribles nuits de la tour de Nesle [2]. On ne parle que de disparitions mystérieuses. Un monsieur est sorti pour aller fumer un cigare sur le boulevard, et voici quinze jours que sa femme éplorée l'attend vainement ; un petit garçon a été enlevé, tandis que sa bonne causait avec un voltigeur [3], et une jeune fille qui était descendue pour acheter un sou de poivre, est allée chercher son sou de poivre si loin, si loin, qu'on ne l'a plus jamais revue.

Rocambole triomphe [4]. On riait de toutes ces trappes dont M. Ponson du Terrail avait semé les

---

1. Cette transposition parodique de l'univers des romans populaires est parue sous la rubrique *Dans Paris* dans *Le Figaro* du 20 février 1867. À ce moment, Zola rédigeait *Les Mystères de Marseille*, qui exploitait la veine des *Mystères de Paris* (1842-1843) d'Eugène Sue et des *Mystères de Londres* (1844) de Paul Féval.
2. Du haut de cette tour démolie en 1663, l'une des brus infidèles de Philippe le Bel, Marguerite de Bourgogne, aurait fait jeter dans la Seine de nombreux amants piégés dans des sacs. Cette légende était alors bien connue parce que Alexandre Dumas en avait tiré en 1832 la matière d'un drame en cinq actes : *La Tour de Nesle*.
3. Voltigeur : nom alors donné à des soldats, généralement de petite taille, qui formaient une compagnie d'élite placée à la gauche d'un bataillon, et qui étaient principalement destinés à tirailler, à se porter rapidement de côté et d'autre.
4. Rocambole est sans doute le héros de roman populaire le plus connu sous le second Empire. Il a été créé par l'inlassable et très prolixe feuilletoniste Paul Alexis Ponson du Terrail (1829-1871). Le cycle des aventures de Rocambole, ouvert en 1859, est illustré en 1867 par les cinq volumes de *La Vérité sur Rocambole*.

Portrait authentique de Rocambole,
d'après deux photographies et un grand nombre de documents
fournis par M. le vicomte Ponson du Terrail.

Caricature par André Gill (1840-1885), in *La Lune*, n° 89.

rues et les maisons de Paris. Pures rêveries, créations de romancier aux abois, disaient les esprits forts ; il n'y a pas dans la ville le moindre escalier dérobé, le plus mince corridor secret, la plus petite cave murée. Et voilà qu'on ne peut plus faire dix pas sur un trottoir sans tomber dans quelque horrible trou.

Je dis ce que disent les journaux graves. Les lecteurs du *Petit Journal* vivent dans la fièvre ; ils savent à quoi s'en tenir, la lecture de ces romans qui deviennent aujourd'hui de l'histoire les a initiés à toutes les scélératesses exquises du crime. Chaque soir, ils s'attendent à disparaître, à être escamotés, et, la nuit, ils rêvent qu'ils sont couchés au fond de ces souterrains dans lesquels les romanciers les ont promenés tout éveillés.

Il y a des lecteurs égrillards qui ne demanderaient pas mieux que d'être enlevés. Ceux-là voient en songe, chaque nuit, l'ombre de Marguerite de Bourgogne qui les invite à souper dans un cabinet particulier de la Maison d'Or [1]. Ils mangent du homard, et ils courent le seul risque de mourir d'une indigestion.

Il est bon, je crois, de rassurer ceux qui s'épouvantent et d'ôter toute espérance à ceux qui attendent une bonne fortune. Deux de mes bons amis ont été enlevés, et ils m'ont autorisé à raconter leurs aventures. Puisse la vérité vraie calmer les imaginations surexcitées.

*

Jacques, un écrivain sceptique, faisait profession de ne pas croire un seul mot des romans tragiques, dans lesquels Paris se trouve machiné comme le théâtre du Châtelet. Il imprimait partout que les romanciers en vogue se moquaient du bon public et

---

1. La Maison d'Or ou Maison Dorée, installée depuis 1841 sur le boulevard des Italiens, était l'un des plus célèbres restaurants de Paris.

qu'un peu de vérité serait préférable à tant de mensonges. Il poussa même l'audace, un jour, jusqu'à
défier les puissances mystérieuses, en pariant qu'il
passerait toute une nuit au beau milieu de la place
du Carrousel et qu'il rentrerait tranquillement chez
lui le lendemain.

Le malheureux fit ce qu'il avait annoncé. Jusqu'à
deux heures du matin, il se promena de long en
large, comptant les pavés, s'ennuyant à mourir. Il
eût donné tout au monde pour être enlevé, et il
envoyait au diable un sergent de ville qui rôdait
autour de lui et dont la présence devait suffire pour
écarter les scélérats.

Comme deux heures sonnaient lentement à l'hor-
loge Saint-Germain-l'Auxerrois, l'homme que mon
ami Jacques avait pris pour un sergent de ville, se
précipita sur lui et essaya de le terrasser.

« Eh ! l'ami, cria Jacques, pas de violence... Vous
voulez que je vous suive : eh bien ! marchez devant
moi.

— Il faut au moins que je vous bande les yeux,
grogna l'homme au manteau noir.

— Pas besoin : je les fermerai bien moi-même...
Allons, marchons vite : j'ai froid aux pieds. »

Et, l'un suivant l'autre, ils se dirigèrent vers l'île
de la Cité.

« Vous vous trompez de route, mon bonhomme,
disait Jacques, il y a des démolitions par là. Le quartier du crime a changé... Surtout faites-moi disparaître promptement, car je suis las. »

Ils arrivèrent enfin dans une petite rue, et Jacques
gravit allégrement un escalier raide et étroit. On
l'introduisit alors dans une chambre tendue de noir ;
au milieu de la chambre, il y avait une table devant
laquelle étaient assis des hommes masqués, envelop-
pés dans de grandes robes de chambre sombres.

« Tu as voulu disparaître, dit une voix, tu vas disparaître.

— Je ne demande pas mieux, répondit modestement Jacques, qui crut reconnaître la voix.

– Ainsi, continua l'homme masqué, tu crois que les romanciers mentent ; si nous te rendions la liberté, oserais-tu dire encore qu'on ne peut pas être enlevé à deux heures du matin, au milieu de la place du Carrousel ?... »

Jacques écoutait attentivement les sons de cette voix qu'il avait certainement déjà entendue. Quand la mémoire lui revint :

« Pardieu ! cria-t-il à l'homme masqué, vous êtes monsieur Ponson du Terrail ! »

Et il arracha le masque de Rocambole. Tous les complices, tous les hommes sombres poussèrent un grognement de désespoir et ôtèrent les masques sous lesquels ils étouffaient. Alors Jacques reconnut autour de la table les romanciers en vogue, ceux qui ont fait de Paris une boîte à double fond, pleine de tiroirs secrets.

« Monsieur, dit enfin M. Ponson du Terrail d'un ton embarrassé, je croyais que vous ne me connaissiez pas... Comme les lecteurs commencent à s'apercevoir que nous mentons et qu'ils se fatiguent de nos œuvres, nous avons jugé utile de nous faire une petite réclame en enlevant de temps à autre un paisible bourgeois. Cela donne un excellent air de vérité à nos récits... Oh ! soyez sans crainte, nous rendons le bourgeois à sa famille, au bout de huit à dix jours, après l'avoir menacé de le reprendre, s'il s'avisait de parler... Veuillez nous garder le secret... Jean, reconduisez monsieur et allez nous chercher le mercier de la rue Saint-Denis. »

Mon ami Jacques garde le secret, mais il ne m'est pas défendu à moi de dire la vérité. Que ceux qui tremblent se rassurent donc : les disparitions mystérieuses ne sont que des réclames habiles que se font les romanciers en vogue.

*

L'histoire de mon ami Pierre est tout aussi rassurante. Pierre est un beau garçon, très fat et d'une

complexion très amoureuse. Il ne dormait plus
depuis qu'il était question de disparitions mystérieuses ; il croyait fermement que les belles nuits de
la tour de Nesle allaient recommencer.

J'ai eu toutes les peines du monde à l'empêcher
de publier à la quatrième page des journaux l'avis
suivant : « Un jeune homme de bonne mine désire
disparaître dans le plus bref délai ; s'adresser chaque
nuit, entre minuit et une heure, au rond-point des
Champs-Élysées. »

Enfin, une nuit de bal, il fut accosté sur le boulevard par une femme voilée qui lui demanda d'une
voix douce s'il voulait bien la suivre. Pierre accepta
la proposition avec enthousiasme. La femme voilée
le fit monter dans un fiacre ; elle lui banda les yeux
et ne répondit à aucune de ses questions.

Le fiacre roula pendant plusieurs heures. Il finit
par s'arrêter, et Pierre fut introduit dans un petit
salon ; une table somptueuse était servie, les lustres
jetaient une lumière claire sur les cristaux, le parfum
des mets se mêlait à des senteurs douces de violette
et de jasmin.

Quatre jeunes femmes, admirablement jolies, les
épaules nues, le sourire aux lèvres, étaient à demi
couchées sur de petits sofas cramoisis. Elles se
levèrent et accueillirent Pierre avec tendresse. Il
comprit vite à leurs allures libres et nonchalantes que
c'étaient des dames du plus grand monde.

On se mit à table, on mangea et on but énormé-
ment. Pierre fut grisé de caresses, d'aveux brûlants,
de regards incendiaires. À vrai dire, il était un peu
honteux d'être tant aimé, et il aurait sans doute pré-
féré disparaître avec une seule femme. Sa bonne fortune l'accablait : il s'abandonnait comme un enfant
câlin aux mains des quatre inconnues.

« Baronne, disait une blonde à sa voisine, donnez-
moi un peu de bécasse… Ah ! voyez donc comme ce
cher enfant a de grands yeux noirs.

– Et quelle fine moustache, marquise, répondait la voisine... Moi, je mangerais bien encore des truffes. »

Et le festin continuait toujours. Les dames buvaient les vins fins dans de grands verres, et elles mangeaient les mets les plus exquis avec un appétit féroce. Jamais Pierre ne s'était trouvé à pareille fête. Il regardait le salon, les lustres dorés, la table chargée de vaisselle plate ; il songeait à tous les plats et à toutes les bouteilles qui venaient de disparaître, et il se disait tout bas :

« Bon Dieu ! que ces femmes doivent être riches. »

Le jour devait être venu ; mais d'épais rideaux empêchaient au soleil d'entrer. Au dessert, ce fut un enchantement. Les dames étaient un peu grises ; elles parlèrent argot, elles faillirent se battre. Pierre, plongé dans une jouissance infinie, les regardait vaguement.

Puis elles décidèrent qu'elles allaient changer de toilette. Elles se retirèrent, et Pierre, resté seul, s'endormit lourdement sur la table.

Il resta longtemps ainsi, affaissé, écrasé sous un sommeil de plomb. Un grand bruit le réveilla ; il se sentait secoué par une main rude.

La fenêtre était grande ouverte, et l'on apercevait le boulevard encombré de piétons et de voitures. Un crépuscule sale entrait dans le salon, montrant les étoffes éraillées des sofas et les dorures ternies des murailles. Un garçon de restaurant, en tablier blanc, tirait Pierre par un bras et lui criait dans l'oreille :

« Eh ! monsieur, il s'agit de payer l'addition et de décamper au plus vite. »

Pierre dormait à moitié.

« L'addition, bégaya-t-il, demandez à Marguerite de Bourgogne... Nous sommes à la tour de Nesle... Jetez-moi à la Seine, et n'en parlons plus. »

Le garçon se fâcha et présenta à Pierre une note de cinq cent trente-deux francs [1] et quelques centimes.

---

1. La somme est assez considérable pour un repas : environ 2 000 euros.

C'était le prix du souper. Et comme le jeune homme, complètement éveillé, ouvrait des yeux effarés et affirmait qu'il ne devait pas un sou, ayant été enlevé par des marquises et des baronnes qui l'avaient emmené souper dans une retraite voluptueuse et discrète :

« Des baronnes, des marquises ! s'écria le garçon en riant. Vous avez soupé avec Clara, Pomponnette, Louise et Pomaré... Les pauvres filles crevaient de faim sans doute, et elles ont inventé un moyen original de se faire payer à dîner... Allons, monsieur, passez à la caisse... »

Que cette leçon serve aux jeunes gens qui ont envie de disparaître. Les femmes, de nos jours, ne tuent plus leurs amants, mais elles vident assez proprement les poches des messieurs qu'elles enlèvent.

*

Il y a bien d'autres disparitions mystérieuses dans Paris.

Une douzaine de maris cherchent leurs femmes. Au bout de huit jours, elles rentrent et elles déclarent simplement qu'elles ne peuvent dire d'où elles viennent, ayant prêté un serment terrible. La vérité est qu'elles arrivent de Fontainebleau où elles ont passé une semaine avec des messieurs bruns.

Tous les créanciers sont aux abois. Les débiteurs disparaissent comme par enchantement. Quand un débiteur rencontre un créancier, il lui conte comme quoi il est resté pendant un mois dans une cave sans manger, et il l'apitoie au point de lui emprunter encore cent sous.

C'est ainsi que la mode tournera peut-être peu à peu à la disparition mystérieuse. Mon portier prétend qu'il a vu un homme disparaître sous une trappe au beau milieu de ma rue. Tout bien examiné, c'était un égoutier qui rentrait chez lui.

UNE CAGE DE BÊTES FÉROCES [1]

I

Un matin, un Lion et une Hyène du Jardin des Plantes réussirent à ouvrir la porte de leur cage, fermée avec négligence.

La matinée était blanche et un clair soleil luisait gaiement au bord du ciel pâle. Il y avait, sous les grands marronniers, des fraîcheurs pénétrantes, les fraîcheurs tièdes du printemps naissant. Les deux honnêtes animaux, qui venaient de déjeuner copieusement, se promenèrent avec lenteur dans le Jardin, s'arrêtant de temps à autre, pour se lécher et jouir en braves gens des douceurs de la matinée.

Ils se rencontrèrent au fond d'une allée, et, après les politesses d'usage, ils se mirent à marcher de compagnie, causant en toute bonne amitié. Le Jardin ne tarda pas à les ennuyer et à leur paraître bien petit. Alors ils se demandèrent à quels amusements ils pourraient consacrer leur journée.

« Ma foi, dit le Lion, j'ai bien envie de contenter un caprice qui me tient depuis longtemps. Voici des années que les hommes viennent, comme des imbéciles, me regarder dans ma cage, et je me suis toujours promis de saisir la première occasion qui se

---

1. Cet apologue animalier, qui est à rapprocher de *La Journée d'un chien errant* ci-dessus, a paru le 31 août 1867 dans *La Rue*, hebdomadaire fondé par Jules Vallès. Lorsque, à son retour d'exil, en 1879, Vallès fit reparaître *La Rue*, il publia de nouveau *Une cage de bêtes féroces*, dans le numéro du 29 novembre 1879.

présenterait, pour aller les regarder dans la leur, quitte à paraître aussi bête qu'eux... Je vous propose un bout de promenade dans la cage des hommes. »

À ce moment, Paris, qui s'éveillait, se mit à rugir d'une telle force que la Hyène s'arrêta court, écoutant avec inquiétude. La clameur de la ville montait, sourde et menaçante, et cette clameur, faite du bruit des voitures, des cris de la rue, de nos sanglots et de nos rires, ressemblait à des hurlements de fureur et à des râles d'agonie.

« Bon Dieu ! murmura la Hyène, ils s'égorgent pour sûr dans leur cage. Entendez-vous comme ils sont en colère et comme ils pleurent ?

– Il est de fait, répondit le Lion, qu'ils font un tapage effroyable : quelque dompteur les tourmente peut-être. »

Le bruit croissait et la Hyène avait décidément peur.

« Croyez-vous, demanda-t-elle, qu'il soit prudent de se hasarder là-dedans ?

Bah ! dit le Lion, ils ne nous mangeront pas, que diable ! Venez donc. Ils doivent se mordre d'une belle façon, et cela nous fera rire. »

II

Dans les rues, ils marchèrent modestement le long des maisons. Comme ils arrivaient à un carrefour, ils furent entraînés par une foule énorme. Ils obéirent à cette poussée qui leur promettait un spectacle intéressant.

Ils se trouvèrent bientôt sur une vaste place où s'écrasait tout un peuple. Au milieu, il y avait une sorte de charpente en bois rouge, et tous les yeux étaient fixés sur cette charpente, d'un air d'avidité et de jouissance.

« Voyez-vous, dit à voix basse le Lion à la Hyène, cette charpente est sans doute une table sur laquelle on va servir un bon repas à tous ces gens qui se passent déjà la langue sur les lèvres. Seulement la table me paraît bien petite. »

Comme il disait ces mots, la foule poussa un grognement de satisfaction et le Lion déclara que ce devait être les vivres qui arrivaient, d'autant plus qu'une voiture passa au grand galop devant lui. On tira un homme de la voiture, on le monta sur la charpente et on lui coupa la tête avec dextérité ; puis, l'on mit le cadavre dans une autre voiture, et l'on se hâta de l'enlever à l'appétit féroce de la foule, qui hurlait, sans doute de faim [1].

« Tiens, on ne le mange pas ! » s'écria le Lion désappointé.

La Hyène sentit un petit frisson agiter ses poils.

« Au milieu de quelles bêtes fauves m'avez-vous conduite ? dit-elle. Elles tuent sans avoir faim... Pour l'amour de Dieu, tâchons de sortir vite de cette foule. »

III

Quand ils eurent quitté la place, ils prirent les boulevards extérieurs et marchèrent ensuite tout doucement le long des quais. En arrivant à la Cité, ils aperçurent, derrière Notre-Dame, une maison basse et longue, dans laquelle les passants entraient comme on entre dans une baraque de la foire, pour y voir quelque phénomène et en sortir émerveillé. On ne payait d'ailleurs ni en entrant ni en sortant. Le Lion et la Hyène suivirent la foule, et ils virent sur de larges dalles des cadavres étendus, la chair trouée de blessures. Les spectateurs, muets et curieux, regardaient tranquillement les cadavres [2].

---

1. L'intérêt porté au crime et aux exécutions capitales était l'une des formes de la culture populaire, dont cette dimension était relayée et complaisamment exaltée dans la presse du temps.

2. La Morgue fait partie – avec la place de Grève, les cimetières, les Halles et les hôpitaux – de la cartographie du Paris inquiétant, « Hôpital, lupanar, purgatoire, enfer, bagne », comme dit Baudelaire dans un projet d'épilogue pour l'édition de 1861

« Eh ! que disais-je ! murmura la Hyène, ils ne tuent pas pour manger. Voyez comme ils laissent se gâter les vivres. »

Lorsqu'ils se trouvèrent de nouveau dans la rue, ils passèrent devant un étal de boucher. La viande pendue aux crocs d'acier était toute rouge ; il y avait contre les murs des entassements de chair, et le sang, par minces ruisseaux, coulait sur les plaques de marbre. La boutique entière flambait sinistrement.

« Regardez donc, dit le Lion, vous dites qu'ils ne mangent pas. Voilà de quoi nourrir notre colonie du Jardin des Plantes pendant huit jours... Est-ce que c'est de la viande d'homme, cela ? »

La Hyène, je l'ai dit, avait copieusement déjeuné.

« Pouah ! fit-elle en détournant la tête, c'est dégoûtant. La vue de toute cette viande me fait mal au cœur. »

IV

« Remarquez-vous, reprit la Hyène un peu plus loin, remarquez-vous ces portes épaisses et ces énormes serrures ? Les hommes mettent du fer et du bois entre eux, pour éviter le désagrément de s'entre-dévorer. Et il y a, à chaque coin de rue, des gens avec des épées qui maintiennent la politesse publique. Quels animaux farouches ! »

À ce moment, un fiacre qui passait écrasa un enfant et le sang jaillit jusque sur la face du Lion.

« Mais c'est écœurant ! s'écria-t-il en s'essuyant avec sa patte ; on ne peut faire deux pas tranquille. Il pleut du sang dans cette cage.

— Parbleu, ajouta la Hyène, ils ont inventé ces machines roulantes pour en obtenir le plus possible, et ce sont là les pressoirs de leur ignoble vendange.

---

des *Fleurs du Mal*. À la Morgue, les corps des noyés et des assassinés étaient exhibés à des fins d'identification, mais beaucoup de promeneurs prisaient ce « spectacle ».

Depuis un instant, je remarque, à chaque pas, des cavernes empestées au fond desquelles les hommes boivent de grands verres pleins d'une liqueur rougeâtre qui ne peut être autre chose que du sang. Et ils boivent beaucoup de cette liqueur pour se donner la folie du meurtre, car, dans plusieurs cavernes, j'ai vu les buveurs s'assommer à coups de poing.

– Je comprends maintenant, reprit le Lion, la nécessité du grand ruisseau qui traverse la cage. Il en lave les impuretés et emporte tout le sang répandu. Ce sont les hommes qui ont dû l'amener ainsi chez eux, par crainte de la peste. Ils y jettent les gens qu'ils assassinent...

– Nous ne passerons plus sur les ponts, interrompit la Hyène en frémissant... N'êtes-vous pas fatigué ? Il serait peut-être prudent de rentrer. »

V

Je ne puis suivre pas à pas les deux honnêtes animaux. Le Lion voulait tout visiter, et la Hyène, dont l'effroi croissait à chaque pas, était bien forcée de le suivre, car jamais elle n'aurait osé s'en retourner toute seule.

Lorsqu'ils passèrent devant la Bourse, elle obtint par ses prières instantes qu'on n'entrerait pas. Il sortait de cet antre de telles plaintes, de telles vociférations, qu'elle se tenait à la porte, frissonnante, le poil hérissé.

« Venez, venez vite, disait-elle en tâchant d'entraîner le Lion, c'est sûrement là le théâtre du massacre général. Entendez-vous les gémissements des victimes et les cris de joie furieuse des bourreaux ? Voilà un abattoir qui doit fournir toutes les boucheries du quartier. Par grâce, éloignons-nous. »

Le Lion, que la peur gagnait, et qui commençait à porter la queue entre ses jambes, s'éloigna volontiers. S'il ne fuyait pas, c'est qu'il voulait garder intacte sa réputation de courage. Mais, au fond de lui, il s'accusait de témérité, il se disait que les rugissements de Paris, le matin, auraient dû l'empêcher de pénétrer au milieu d'une si farouche ménagerie.

Les dents de la Hyène claquaient d'effroi, et, tous deux, ils s'avançaient avec précaution, cherchant leur chemin pour rentrer chez eux, croyant à chaque instant sentir les crocs des passants s'enfoncer dans leur cou.

VI

Et voilà que, brusquement, il s'élève une clameur sourde des coins de la cage. Les boutiques se ferment, le tocsin se lamente d'une voix haletante et inquiète.

Des groupes d'hommes armés envahissent les rues, arrachent les pavés, dressent à la hâte des barricades. Les rugissements de la ville ont cessé ; il y règne un silence lourd et sinistre. Les bêtes humaines se taisent ; elles rampent le long des maisons, prêtes à bondir.

Et bientôt elles bondissent. La fusillade éclate, accompagnée de la voix grave du canon. Le sang coule, les morts s'écrasent la face dans les ruisseaux, les blessés hurlent. Il s'est formé deux camps dans la cage des hommes, et ces animaux s'égaient un peu à s'égorger en famille.

Quand le Lion eut compris ce dont il s'agissait :

« Mon Dieu ! s'écria-t-il, sauvez-nous de la bagarre ! Je suis bien puni d'avoir cédé à la bête d'envie que j'avais de rendre visite à ces terribles carnassiers. Que nos mœurs sont douces à côté des leurs ! Jamais nous ne nous mangeons entre nous. »

Et s'adressant à la Hyène :

« Allons, vite, détalons, continua-t-il. Ne faisons plus les braves. Pour moi, je l'avoue, j'ai les os gelés d'épouvante. Il nous faut quitter lestement ce pays barbare. »

Alors, ils s'enfuirent honteusement et peureusement. Leur course devint de plus en plus furieuse
et emportée car l'effroi les battait aux flancs et les
souvenirs terrifiants de la journée étaient comme
autant d'aiguillons qui précipitaient leurs bonds.

Ils arrivèrent ainsi au Jardin des Plantes, hors
d'haleine, regardant avec terreur derrière eux. Alors
ils respirèrent à l'aise, ils coururent se blottir dans
une cage vide dont ils fermèrent vigoureusement la
porte. Là, ils se félicitèrent avec effusion de leur
retour.

« Ah ! bien ! dit le Lion, on ne me reprendra pas à
sortir de ma cage pour aller me promener dans celle
des hommes. Il n'y a de paix et de bonheur possibles
qu'au fond de cette cellule douce et civilisée. »

VII

Et, comme la Hyène tâtait les barreaux de la cage
les uns après les autres :

« Que regardez-vous donc ? demanda le Lion.

– Je regarde, répondit la Hyène, si ces barreaux
sont solides et s'ils nous défendent suffisamment
contre la férocité des hommes. »

HISTOIRE D'UN FOU [1]

Le drame de la rue des Écoles, dont je parlais hier [2], m'a remis en mémoire une étrange histoire d'adultère. Je la raconterai pour l'édification des dames qui n'aiment pas les coups de couteau, et qui cherchent un moyen honnête de se débarrasser de leurs maris.

*

Isidore-Jean-Louis Maurin était un digne bourgeois, propriétaire de plusieurs immeubles, habitant à Belleville le premier étage d'une de ses maisons. Il avait grandi au fond de ce vieux logis, s'occupant de son jardin, vivant dans une oisiveté de Parisien badaud et flâneur. À quarante ans, il commit la sottise d'épouser la fille d'un de ses locataires, une blonde enfant de dix-huit ans, dont les yeux gris, semés d'étincelles vives, avaient le regard doux et luisant d'une chatte.

Six mois plus tard, Henriette montait chez un jeune médecin qui occupait le second étage. Cela arriva le plus naturellement du monde, un soir d'orage, pen-

---

1. Cette nouvelle, qui préfigure les derniers chapitres de *La Conquête de Plassans* (1874), a d'abord paru dans *L'Événement illustré* du 8 juin 1868, puis sous le titre *Causerie* dans *La Tribune* du 26 décembre 1869, et enfin comme une des *Lettres parisiennes* de *La Cloche*, le 17 juin 1872. C'est cette dernière version que nous avons retenue.
2. Zola renvoie à une de ses *Lettres parisiennes* parue le 16 juin 1872 (*OC*, t. XIV, p. 86-88).

dant une promenade que Maurin était allé faire aux fortifications. Les amants furent pris d'une fièvre de passion, et bientôt les quelques minutes qu'ils pouvaient se donner à la dérobée ne leur suffirent plus ; ils rêvèrent de vivre ensemble maritalement. Leur vie presque commune, ce simple plancher qui les séparait aiguisait encore leurs désirs. La nuit, l'amant entendait tousser le mari dans son lit.

Certes, Maurin était un bonhomme ; on le citait dans le quartier comme le modèle des maris ; il ne voyait rien, se montrait d'une douceur et d'une complaisance exemplaires. Mais c'était justement là l'obstacle exaspérant, la bonhomie de Maurin qui le retenait au logis, la vie simple qui cloîtrait la jeune femme. Au bout de quelques semaines, elle ne savait plus quelle histoire inventer pour monter au second étage. Alors les amants décidèrent qu'il fallait se débarrasser du bonhomme [1].

*

Ils reculèrent devant un crime brutal. Ils ne pouvaient égorger un pareil mouton ; puis ils craignaient d'être pris et d'avoir le cou tranché. D'ailleurs, le médecin, qui était un homme d'imagination, trouva un expédient moins dangereux, et dont le côté romanesque passionna Henriette.

Une nuit, toute la maison fut réveillée par des cris terribles qui venaient de l'appartement du propriétaire. On enfonça la porte, et on trouva la jeune femme dans un état affreux, à genoux sur le tapis, échevelée, hurlante, les épaules rouges de coups. En face d'elle, Maurin se tenait hébété, frissonnant. Il balbutia comme un homme ivre, il ne put répondre aux questions pressantes qu'on lui adressa [2].

---

1. On remarquera la reprise du thème initial d'*Un mariage d'amour*. Mais Zola explore ensuite un autre possible narratif.
2. Dans *La Conquête de Plassans*, Marthe, amoureuse de l'abbé Faujas, ne simule pas : elle sombre dans la « folie lucide » et son mari, qui assiste impuissant aux sévices qu'elle s'inflige, est accusé de violences conjugales par l'entourage.

« Je ne sais pas, murmurait-il... Je ne lui ai rien fait, elle s'est mise à crier tout d'un coup. »

Quand Henriette se fut un peu calmée, elle balbutia à son tour, en regardant son mari d'un air étrange, avec une sorte de pitié effrayée. Les voisins se retirèrent, très intrigués, un peu épouvantés même, en se disant entre eux que « tout cela n'était pas clair ».

De pareilles scènes se renouvelèrent fréquemment. La maison vivait dans des alarmes continuelles. Chaque fois que les cris se faisaient entendre et qu'on pénétrait dans l'appartement, le même spectacle s'offrait aux regards des voisins : Henriette, vautrée à terre, affaissée et frémissante, comme une personne qu'on vient de rouer de coups, et Maurin, courant dans la pièce, effaré, ne pouvant rien expliquer.

*

Le bonhomme devint soucieux. Le soir, il ne se couchait plus qu'en tremblant, avec la peur sourde d'être réveillé pendant la nuit par les hurlements d'Henriette. Il ne comprenait rien à ses crises. Elle sautait brusquement du lit, se donnait de violentes tapes sur les épaules, s'échevelait, se roulait, sans qu'il fût encore parvenu à découvrir ce qui la jetait ainsi par terre. Elle ne pouvait être que folle, et il se promit de ne jamais répondre aux questions, de rester muet sur ce drame intime. Mais sa tranquillité de badaud était morte ; il maigrissait, il jaunissait ; il n'avait plus son large sourire d'imbécile satisfait.

Cependant le bruit, un bruit qui venait on ne savait d'où, se répandait dans le quartier que le bonhomme avait presque chaque nuit des accès de fièvre chaude, pendant lesquels il battait la malheureuse Henriette comme plâtre. Son visage pâle et défait, ses réponses évasives, toute son attitude gênée et triste, confirmèrent singulièrement cette histoire.

Maurin ne put dès lors faire un geste, sans que ce geste parût être l'acte d'un fou. Dès qu'il sortait, les yeux de tout un quartier étaient braqués sur lui, interrogeant chacun de ses pas, donnant des explications étranges à ses moindres paroles. Rien ne ressemble plus à un fou qu'un homme sain d'esprit. Si son pied glissait, s'il levait les yeux au ciel, s'il se mouchait, on riait, on haussait les épaules de pitié. Des gamins le suivaient comme ils auraient suivi une bête curieuse. Au bout d'un mois, il devint notoire dans Belleville que Maurin était fou, mais fou à lier.

On racontait à voix basse des faits inouïs. Une femme disait l'avoir rencontré sans chapeau sur le boulevard extérieur, un jour de pluie. C'était vrai : un coup de vent avait emporté le chapeau du bonhomme. Une autre femme affirmait qu'il se promenait dans son jardin chaque nuit, à minuit sonnant, avec une bougie qu'il tenait comme un cierge, en chantant l'office des Morts. Cela parut très effrayant. La vérité était que cette femme avait vu une seule fois Maurin cherchant avec une lanterne les limaces qui mangeaient ses salades. Peu à peu, on collectionna les traits de folie du bonhomme, on lui composa un dossier écrasant. Les cancans allaient leur train : « Un si brave homme, si doux, si bon ! Quel malheur ! Ce que c'est que de nous !... Il faudra pourtant qu'on finisse par l'enfermer... Il la massacre, sa pauvre petite femme, une femme si distinguée, une si excellente personne... [1]. »

*

Le commissaire fut prévenu. Un beau matin, à la suite d'une scène épouvantable qu'Henriette joua en artiste consommée, Maurin fut mis dans un fiacre, sous un prétexte quelconque, et conduit à Charenton.

---

1. Le même entraînement de l'opinion sera décrit au début du chapitre XVIII de *La Conquête de Plassans*. Les détails y seront développés, en particulier la scène de la chasse aux limaces à la lueur d'une bougie.

Là, quand il comprit ce dont il s'agissait, il entra dans une telle rage, que d'un coup de dent il coupa net le pouce d'un gardien. On lui mit la camisole de force, on le parqua avec les fous furieux.

Le jeune médecin s'était arrangé de façon à ce qu'on gardât le plus longtemps possible le bonhomme dans son cabanon. Il prétendait avoir suivi la maladie de Maurin et avoir observé chez lui des phénomènes d'une telle étrangeté que ses confrères se crurent en face d'un cas nouveau. D'ailleurs, tout Belleville était là pour grossir le dossier. Il y eut des réunions d'aliénistes et des mémoires furent écrits. Les amants s'envolèrent, allèrent jouir de leur lune de miel dans un trou de feuillages, en Touraine.

*

Henriette mit onze mois à se lasser du jeune médecin. Souvent, entre deux baisers, elle songeait à ce misérable qui hurlait dans un cabanon. Et elle se prenait à l'aimer, maintenant qu'il était tragique, qu'il n'allait plus regarder pousser ses salades ni promener sa flânerie aux fortifications. Les femmes aux yeux gris, aux regards de chattes, ont de ces caprices. Elle se sauva de chez son amant, elle courut à Charenton, décidée à tout avouer.

Ce qui l'avait souvent surprise, c'était le temps que les médecins mettaient à reconnaître que Maurin n'était pas fou. Elle avait compté au plus sur quelques semaines de liberté. Quand on l'eut conduite au cabanon de son mari, elle vit un spectre se dresser lentement d'un coin d'ombre, une bête sale, maigre, blafarde, qui la regarda de ses yeux creux, pleins d'un effarement stupide. Le bonhomme ne la reconnut pas. Et comme elle restait là, terrifiée, il se mit à se balancer, avec un rire idiot. Brusquement, il éclata en sanglots, balbutiant :

« Je ne sais pas, je ne sais pas... je ne lui ai rien fait. »

Puis il se jeta à plat ventre, comme Henriette se jetait autrefois sur le tapis, et il se donna des tapes sur les épaules, il se vautra en poussant des cris perçants [1].

« Il recommence ce jeu-là vingt fois par jour », dit le gardien qui accompagnait la jeune femme.

Celle-ci, défaillante, les dents claquant de peur, se cacha les yeux pour ne plus voir le bonhomme dont elle avait fait une telle brute.

Maurin était fou.

---

1. La scène est développée au chapitre XXI de *La Conquête de Plassans*, lors de la visite de Marthe à l'asile des Tulettes : « Marthe était clouée. Elle se reconnaissait par terre ; elle se jetait ainsi sur le carreau, dans la chambre, s'égratignait ainsi, se battait ainsi. Et jusqu'à sa voix qu'elle retrouvait ; Mouret avait exactement son râle. C'était elle qui avait fait ce misérable » (*Les Rougon-Macquart*, Gallimard, « Bibliothèque de la Pléiade », 1960-1967, t. I, p. 1183).

LE CENTENAIRE [1]

Chaque jour, je trouvais assis, sur un banc de la terrasse du Luxembourg, un grand vieillard de cent ans. À l'ombre des marronniers en été, l'hiver aux pâles rayons du soleil, il songeait, le menton appuyé sur la pomme de sa canne.

Le centenaire regardait dans leurs rondes les petites filles qui jouaient à ses pieds, en lui jetant des rires clairs. Il songeait sans doute à son berceau et à sa tombe. Il avait un calme grave et doux, un visage fait de bonté et d'expérience qui m'attirait à lui. J'aimais à l'entendre parler de la vie, lui qui en connaissait les joies et les douleurs.

*

Un jour de mars – le ciel était sombre, et le palais du Luxembourg se détachait morne et blafard, sur le gris sale des nuages –, le centenaire, qui fouillait la terre du bout de sa canne, me dit d'une voix mélancolique :

« Mon fils, les cieux ont eu bien des jours de pluie depuis que je suis né, et mes yeux ont eu bien des larmes. J'ai été frappé dans chacun des enfants que j'ai perdus. Mes fils et mes petits-fils sont morts, et

---

1. *Le Centenaire* a d'abord paru dans *L'Événement illustré* du 13 juillet 1868, puis comme l'une des *Lettres parisiennes* de *La Cloche*, le 25 septembre 1872. C'est cette deuxième version qui est ici retenue.

je reste seul, las d'immortalité, dans un siècle qui
n'est plus le mien.

« Ne souhaitez pas de dépasser l'âge moyen des
hommes. La mort est un repos nécessaire ; elle est
douce au vieillard comme un baiser d'amoureuse.
J'ai eu mes tristesses et j'ai eu les tristesses des longs
jours que j'ai vécus. J'ai vu passer cinq monarchies,
deux empires, trois républiques ; j'ai assisté à toutes
les fautes qu'un peuple peut commettre en un siècle.
Rappelez-vous notre histoire. Que de larmes et que
de sang !

« Aujourd'hui, par ce vilain ciel de mars, lorsque
j'interroge le passé, j'envie ceux qui ne sont plus, qui
ignorent dans la terre nos dernières hontes et nos
derniers sanglots. J'ai pitié de moi qui vis encore, j'ai
pitié de ce monde que j'ai habité trop longtemps.

« Ceux qui meurent jeunes sont aimés des dieux. »

*

Au mois de mai, je trouvai le centenaire assis sur le
même banc. Le palais du Luxembourg resplendissait
dans le grand soleil d'or ; des souffles venaient des
pelouses, apportant les senteurs douces des lilas.

Le centenaire me dit avec son bon sourire :

« Mon fils, voici un beau jour de plus parmi les
beaux jours de ce monde. Je me rappelle tous mes
printemps, toutes mes joies.

« Que la vie est douce, et qu'il fait bon vivre dans
l'air tiède ! Cent printemps n'ont pu épuiser mon
amour du soleil, et j'en demande cent autres qui me
laisseront encore le regret des premières feuilles et
des premiers rayons. L'homme redevient jeune, à
chaque jeune année. Aujourd'hui, j'ai vingt ans.

« J'ai à remercier la vie de toutes les félicités qu'elle
m'a données. J'ai vu autour du foyer ma descen-
dance jusqu'à la quatrième génération, et je me suis
réjoui en pensant que j'étais le père de toute une
tribu. Maintenant même, dans ma solitude, je bénis

la vie, car la vie est encore le souvenir. Je fais ma joie
de mes joies d'autrefois.

« Il m'a été donné d'assister à un spectacle gran-
diose. Mon siècle a été un grand siècle, l'homme y
a conquis la liberté et la science. J'emporterai avec
moi la pensée consolante que nous marchons vers la
lumière, à pas lents et certains. J'oublie nos misères
pour songer au souffle de vérité et de justice qui
nous guide et nous pousse en avant.

« Je demande au printemps de nouvelles et
longues années. »

*

Ce sont là les deux éternels cris de la vie, la voix
désespérée et la voix confiante.

Il m'a semblé, aux derniers temps sombres, voir
la France sur le banc du centenaire, pleurant ses fils
morts, brisée et aspirant à la terre. Mais je la vois,
aujourd'hui, dans la convalescence de ses espoirs,
sourire à son passé, compter sur son avenir, souhaiter ardemment l'existence, une longue, une éternelle
vie qui lui permette d'aller à la liberté, à la lumière.

AU COUVENT [1]

La fille de Mme de P***, une blonde enfant de seize ans, a quitté le couvent l'automne dernier. Sa mère, en femme prévoyante, travaille à son éducation mondaine ; elle promène la pensionnaire de salons en salons, pour assouplir ses révérences et calmer ses petits airs effarouchés. Jeanne est encore ce qu'on nomme une grande niaise [2].

Hier, la mère et la fille sont entrées dans un salon où je me trouvais. La maîtresse de ce salon a, elle aussi, une enfant charmante ; mais Lucie n'a jamais quitté les jupes de sa mère ; elle a grandi en plein luxe, en pleine liberté ; elle a été élevée au milieu de cet appartement aristocratique, parmi ces invités souriants, qu'elle accueille en fille savante. C'est une petite personne fort délurée et trop spirituelle.

J'ai regardé Lucie allant à la rencontre de Jeanne.

Bon Dieu ! quelle grâce ! Lucie, à demi penchée, tendant les mains, s'avançait avec une souplesse câline ; elle avait aux lèvres un air ravi ; et, quand elle a eu pris délicatement le bout des doigts de la pensionnaire, elle l'a entraînée devant le feu, sur un

---

1. *Au couvent* a d'abord paru dans *La Cloche* le 2 février 1870. Le récit fut repris trois jours après sous le titre *Le Couvent* dans un journal violemment anticlérical, *La Libre Pensée*, le 5 février 1870. C'est le texte de *La Cloche* qui est retenu ici.

2. Zola s'est beaucoup intéressé aux questions d'éducation, en particulier à celle des filles, dans un contexte très polémique, qui opposait les défenseurs de l'enseignement au couvent à ceux qui étaient partisans de l'enseignement secondaire féminin, finalement imposé par Victor Duruy en 1867.

fauteuil voisin du sien, d'un mouvement rapide et adorable de légèreté. L'autre, Jeanne, un peu raide, s'est laissée faire ; elle a même eu un court moment de résistance fort ridicule ; quand elle a été assise et qu'elle a vu qu'on la regardait, elle s'est sottement mise à examiner ses mains, qu'elle tournait et retournait avec fièvre sur ses genoux. Et là, elle ne savait que hocher la tête à toutes les paroles vives de sa compagne.

Mais, peu à peu, le cercle s'est agrandi devant le feu, la conversation est devenue générale. Tout en continuant à causer avec Jeanne, Lucie entendait, suivait ce qu'on disait autour d'elle, jetait un mot, répondait d'un sourire. La petite peste connaissait son Paris sur le bout du doigt. Au nom d'une actrice célèbre par ses soupers, elle parla d'une robe de satin mauve qu'elle avait vue sur les épaules de cette femme. Et cela d'une voix nette, avec de grands yeux purs. Puis ce fut une discussion sur les tailleurs pour dames, et des causeries familières avec les jeunes gens et des jugements sans appel sur le roman nouveau et la pièce en vogue. Cette jeune fille jouait à ravir son rôle de grande personne.

*

Jeanne écoutait, absorbée. Depuis qu'on ne faisait plus attention à elle, elle s'était pelotonnée au fond de son fauteuil, comme pour tenir moins de place. Les paupières baissées, les mains unies, elle semblait se recueillir, s'isoler dans une prière vague. Mais, à étudier attentivement son indifférence et son immobilité, je reconnus en elle une tension extraordinaire. Certains battements des lèvres, certains plis du visage m'apprirent l'âpre curiosité qui la rendait ainsi muette. Par moments, un mot semblait l'éveiller, et des chaleurs montaient à ses joues ; elle devait être prise de subites langueurs, son cou pliait, ses bras nus glissaient légèrement ; peut-être était-ce le feu qui donnait ces rougeurs et ces frissons à sa peau délicate. Je surpris, à trois fois, des regards humides qui coulaient du coin de ses yeux demi-clos. Et alors, bien que sa bouche restât discrètement fermée, je crus qu'elle riait d'un rire voluptueux de femme faite.

Je regardais sans doute les deux jeunes filles avec une attention de mauvais goût. Un de mes amis s'approcha et me dit à l'oreille :

« Hein ! mon gaillard, la pensionnaire te convient. Ce n'est pas comme cette poupée de Lucie qui cachera des galants dans toutes ses armoires. Quelle sage et bonne petite femme on ferait de cette niaise ! »

Je haussai les épaules sans répondre. La « niaise » m'avait singulièrement épouvanté. J'allai me cacher dans l'embrasure d'une fenêtre, et là, sans la quitter des yeux, j'évoquai le passé de cette grande fille qui a certes plus de maladresse que d'ignorance.

Jeanne, n'est-ce pas, devait fatiguer sa mère par sa turbulence. Puis il y a des parents qui, par bon ton, croient devoir mettre leur fille à tel ou tel couvent. C'est affaire de mode. La petite s'est consolée. Elle a trouvé un vaste jardin, des jouets, des flatteries. Mais ce qui, peu à peu, à son insu, lui rend cher le séjour du couvent, c'est qu'elle y vit libre au milieu d'un petit peuple libre. Chez elle, elle n'était que l'enfant obéissante de son père et de sa mère ; en pension, elle est citoyenne d'une république, elle fait partie d'une société, dont les intérêts, les haines et les amours la passionnent. Un pensionnat en récréation, c'est comme un abrégé de notre monde. Je sais bien que Jeanne avait huit ans. Alors c'était une femme de huit ans, voilà tout.

*

Il faut les entendre, il faut surtout les deviner. L'enfance est une telle pureté, qu'on n'ose y chercher les vices naissants, l'éveil des passions, des monstruosités morales. À voir ces têtes blondes, ces regards clairs, on ne veut pas croire au mal. Mais interrogez votre femme, rappelez-lui sa vie au couvent, et vous la verrez prise d'une gaieté nerveuse, vous l'entendrez, pour peu que vous la poussiez, raconter des histoires qui aujourd'hui lui font monter des rougeurs au visage. Dans ces questions délicates, si chacun se tait par respect pour nos chers enfants, il est bon cependant qu'une voix brutale dise la vérité. Il y a là une plaie sociale, et les plaies ne guérissent que lorsqu'on les cautérise avec un fer rouge.

Souvenez-vous du collège. Les vices y poussent grassement, on y vit en pleine pourriture romaine [1]. Toute association cloîtrée de personnes d'un même sexe est mauvaise pour la morale. Dans les pensionnats de jeunes filles, les mêmes faits se produisent. Et ici les conséquences sont navrantes. Nos mœurs font d'un homme un combattant qui doit tout connaître ; c'est à lui de se faire une vertu, une dignité, une vie droite et heureuse ; il est le protecteur, l'être expérimenté ; il peut traverser toutes les souillures, il n'en est parfois que plus fort. Mais la jeune fille n'est point élevée pour ces luttes de la vie. Elle doit être mise ignorante aux bras du mari, tenir de lui toute éducation, ne pas laisser en arrière des souvenirs de chair et de cœur.

Si elle a vécu au couvent, à coup sûr elle n'est plus innocente. Ce n'est pas une vierge qu'on épouse. Peut-être, si elle est d'un tempérament calme, vivra-t-elle honnêtement ; mais, dans son honnêteté même, sa vie entière sera souillée par les souvenirs de son enfance.

*

1. Dans *La Curée* (1872), le narrateur évoque le collège de Plassans, « un repaire de petits bandits comme la plupart des collèges de province, [...] un milieu de souillure » (*Les Rougon-Macquart, op. cit.*, t. I, p. 408).

Je regardais toujours la grande niaise, cette Jeanne si assoupie et dont les bras nus avaient de légers mouvements nerveux. J'entendais les jeunes gens murmurer autour de moi : « A-t-elle l'air sot, cette fille-là ! » Et moi, je la voyais dans le préau du couvent, courant à perdre haleine, bondissant comme une bête heureuse, que le sang tourmente ; ou bien, sur un banc du jardin, elle parlait à voix basse avec un groupe d'amies, animée, prononçant parfois, d'un ton plus adouci encore, certaines paroles qui les faisaient toutes se rapprocher, avec des frémissements d'aise, comme des filles d'Ève qui mangeraient en commun du fruit défendu. Je la voyais encore – et c'est cette image qui devrait épouvanter toutes les mères –, je la voyais s'égarer dans les coins avec une élève plus grande qu'elle ; elle l'appelait sa petite maman, elle se laissait prendre par la taille, baiser sur les lèvres ; et toutes deux elles s'en allaient derrière les lilas, comme deux amoureux pâmés par les senteurs tièdes du printemps [1].

Jeanne, une niaise ! Eh ! voyez donc le sourire imperceptible qui amincit les coins de sa bouche ! Elle peut ignorer le monde, n'en avoir ni les façons, ni le langage ; mais elle a ses vices à elle, des vices sérieux, je vous assure. Les amies du dortoir l'ont mise au courant de bien des choses. Lisez *La Fille aux yeux d'or*, de Balzac. Lisez encore *Mademoiselle Giraud* [2], un roman dans lequel M. Adolphe Belot

---

1. Toujours dans *La Curée*, Zola imagine, dans l'entourage mondain de son héroïne Renée, deux amies de couvent qui sont devenues « inséparables », c'est-à-dire homosexuelles : Adeline d'Espanet et Suzanne Haffner.

2. Adolphe Belot, l'un des auteurs de *La Vénus de Gordes* (voir ci-dessus, note 2, p. 136), venait de publier en janvier 1870 un roman qui avait fait scandale par son sujet, voisin de celui de *Mademoiselle de Maupin* et de *La Fille aux yeux d'or* de Balzac : *Mademoiselle Giraud, ma femme*. Zola, intéressé, rédigea un compte rendu élogieux à paraître dans la presse parisienne. Le texte, proposé en fin de compte à l'auteur, servit de préface à une édition ultérieure du roman. On le trouvera dans la rubrique des *Livres d'aujourd'hui et de demain*, in *OC*, t. X, p. 940-942.

vient d'étudier avec une grande chasteté d'expression, jointe à une grande fermeté de pensée, les passions monstrueuses qui naissent parfois d'une intimité de couvent. Certes, Jeanne ne portera sans doute pas dans la vie, dans son ménage, les hontes de sa jeunesse. Mais c'est une âme salie, un esprit défloré, une fille qui cache trop de science sous sa niaiserie apprise.

*

Et pendant que je croyais retrouver dans les yeux baissés et dans les bras frissonnants de Jeanne des habitudes de volupté, Lucie continuait son joli caquet de fille élevée librement. Ah ! que la chère enfant bavardait en toute innocence ! Celle-là touchait à tout, parlait de tout, sans un frisson. Elle n'avait pas vécu au couvent, dans cet air mystique qui éveille les sens ; aucune amie ne lui avait fait des confidences en l'embrassant sur les lèvres ; sa mère seule la baisait au front chaque soir, et elle grandissait, sachant tout et ignorant tout, mêlée au monde, en connaissant les mille petits riens, mais comme une perruche curieuse qui écoute et qui répète, sans comprendre.

C'est ainsi que la niaiserie de Jeanne m'a bien autrement épouvanté que le babil et la coquetterie de Lucie. Une mère, à tout prix, doit garder sa fille auprès d'elle.

Et, si je n'aimais d'amour la liberté, je pétitionnerais pour qu'on fermât tous les couvents. En me retirant, je voyais Lucie se coucher et s'endormir comme une espiègle qui a gaiement joué avec ses joujoux habituels, tandis que Jeanne se retournait fiévreusement dans son lit, encore toute brûlée par les désirs sournois qui avaient effleuré ses bras nus.

À QUOI RÊVENT
LES PAUVRES FILLES [1]

Elle a travaillé pendant douze heures. Elle a gagné quinze sous. Le soir, elle rentre à son taudis, le long des trottoirs blancs de gelée, grelottante sous son mince châle noir, maigre et furtive, avec cette hâte peureuse des pauvres bêtes abandonnées.

Et, comme ses entrailles crient famine, elle achète quelque reste de charcuterie à bas prix, qu'elle emporte à la main, plié dans un lambeau de journal. Puis, essoufflée, elle gravit ses six étages.

En haut, le grenier est désolé. Un bout de chandelle éclaire cette misère. Pas de feu. Le vent passe sous la porte, si aigu, qu'il effare la flamme de la chandelle. Un lit, une table, une chaise. Il fait si froid que l'eau du pot à eau a gelé.

Elle se hâte ; elle se réchauffera peut-être un peu dans le lit, sous le paquet de ses vêtements qu'elle entasse chaque soir à ses pieds. Vivement elle s'est assise devant la petite table ; elle a tiré un morceau de pain d'une armoire, elle mange sa charcuterie de cet air glouton et indifférent des affamés. Quand elle a soif, il lui faut casser la glace du pot à eau.

C'est une enfant de dix-huit ans au plus. Pour avoir moins froid, elle n'a retiré ni son châle ni son

---

1. Texte paru dans *Le Rappel* du 3 février 1870. Journal politique fondé par la famille Hugo en 1869, « organe de la démocratie radicale », très lu par les ouvriers et les artisans cultivés, *Le Rappel* menait de front l'opposition à l'Empire. Les articles étaient généralement courts, le ton incisif et violent.

bonnet. Elle mange chez elle toute vêtue, en cachant par moments ses mains que le vent bleuit. Si elle pouvait sourire, elle serait charmante ; ses lèvres délicates, ses yeux d'un gris tendre auraient une douceur exquise. Mais la souffrance a pincé sa bouche, et mis une dureté morne dans son regard. Elle a le masque rigide et menaçant des misérables [1].

Elle regarde devant elle, vaguement, le cerveau vide, mangeant comme un animal qui se dépêche. Puis ses yeux s'arrêtent sur le lambeau de journal, taché de graisse, qui lui sert d'assiette. Elle lit, elle oublie d'achever son pain.

Il y a eu bal aux Tuileries, et elle apprend qu'on y a consommé une quantité prodigieuse de vin et de mets : neuf mille bouteilles de champagne, trois mille gâteaux, six cents kilogrammes de viande et le reste. Elle a un sourire singulier, elle se dit que ces gens doivent être bien gras [2].

Mais elle est femme, elle s'arrête davantage aux descriptions des toilettes. Elle lit :

« Mme de Metternich : robe blanche, avec ceinture violet foncé. Une rivière de diamants soutenait un adorable fouillis de perles et de diamants. »

Sa face est devenue plus dure. Pourquoi les autres ont-elles des rivières de diamants, lorsqu'elle n'a pas une robe chaude à se mettre ? Elle continue :

« L'impératrice, en robe vert tendre, recouverte d'une demi-jupe en tulle bouillonnant blanc, à lamé d'argent, garnie au bas et au corsage de martre zibeline. Dans les cheveux, des fleurs en boule de neige et un simple bandeau de diamants. Autour du cou, un velours noir sur lequel est appliquée une grecque en diamants admirables [3]. »

---

1. Nouvelle allusion au roman de Victor Hugo. Mais l'atmosphère est déjà celle du chapitre X de *L'Assommoir*.

2. Le texte est construit en diptyque, à des fins démonstratives. Dans *Le Ventre de Paris* (1873), Zola filera l'opposition entre les Gras et les Maigres.

3. Ces citations proviennent d'un article du *Figaro* du 29 janvier 1870, que Zola a conservé dans le dossier préparatoire de *La Curée*.

Toujours des diamants, et ici des diamants à enrichir cent familles. L'enfant ne lit plus. Elle s'est renversée sur sa chaise, elle songe.

Des pensées mauvaises passent dans ses yeux gris. Elle ne sent plus le froid, elle est tout entière à la tentation du mal[1].

Et quand elle s'éveille de son rêve, elle a un grand frisson, et jetant un regard autour de son taudis, elle murmure :

« À quoi bon ?... À quoi bon travailler ? Je veux des diamants. »

Demain elle en aura.

---

1. Zola a toujours posé très clairement le lien entre la misère et la prostitution.

CATHERINE [1]

Catherine est une belle poupée dont on a fait cadeau à ma jeune amie, la petite Rose, une adorable personne de huit ans.

Mais Catherine n'est point une poupée des temps anciens, un de ces affreux magots surmontés d'une tête de carton. Catherine a des formes souples et arrondies. Catherine est une femme faite, et bien faite. Elle s'assoit, fait la révérence, tourne le cou, remue les bras, avance les jambes, comme une personne naturelle. Et quelle jolie tête de poupon en gaieté ! Elle cligne les yeux, et montre ses dents blanches dans un sourire.

D'ailleurs, Catherine n'est pas une fille de rien. Elle a des bijoux, montre, bracelets, colliers, boucles d'oreilles. Elle possède un trousseau que lui envierait plus d'une femme. Ce trousseau, soigneusement serré dans une malle de cuir à clous dorés, comprend au moins une douzaine de robes, robes de bal, robes de ville, robes de courses et de bains de mer, robes d'appartement ; beaucoup de linge, chemises de batiste [2], mouchoirs brodés, bas à jours, jupons garnis de dentelle ; et encore des serviettes et des draps de fine toile.

Car, sachez-le, Catherine a un mobilier. Elle est dans ses meubles, dans le palissandre, comme une fille tout à fait lancée. Elle a un lit, une armoire à

---

1. Texte paru dans *La Cloche*, le 18 avril 1870. *La Cloche*, comme *Le Rappel*, est un journal d'opposition.
2. Batiste : toile de lin très fine.

glace, un guéridon pour prendre le thé, deux fauteuils, l'un pour elle, l'autre pour les amies qui la viennent visiter.

Et la toilette ! une merveille que cette toilette, une délicieuse psyché, à tablette de marbre, à glace biseautée, garnie de tous les engins que nécessite aujourd'hui la toilette d'une femme comme il faut : peignes, brosses, grattoirs, boîtes à poudre de riz, fard, teinture pour les lèvres, etc., etc.

Dans un des tiroirs de la toilette se trouvent les faux cheveux de Catherine.

*

La petite Rose, qui n'est guère plus grande que Catherine, l'appelle sa fille. Tout le jour, elle s'empresse autour d'elle, elle s'inquiète, elle se multiplie.

Le matin, elle procède à son lever et à sa toilette. Besogne délicate. Elle commence par la mettre sur son séant. Alors Catherine ouvre les yeux, avec son éternel sourire. Puis Rose l'assoit devant la psyché. C'est l'instant solennel de la journée.

L'enfant qui a souvent rôdé autour de sa mère, le matin, fait ce qu'elle a vu faire. Elle travaille sa poupée en fille du monde. Elle la frotte de poudre de riz, de fards, d'onguents ; elle crêpe ses faux cheveux, les natte, les dispose d'une galante façon. Pendant des heures, elle goûte une jouissance de petite femme à fourrer ses doigts dans la pommade, à se servir du peigne et des brosses, à faire sur sa poupée ce qu'on lui défend encore de faire sur elle.

Ensuite, elle habille Catherine : un simple peignoir, une robe du matin.

Mais, après le déjeuner, elle lui passe une jupe de soie, et plus tard, quand l'heure du Bois arrive, elle lui fait une troisième toilette. Le soir, elle la met en robe de bal.

Aussi Rose a-t-elle trouvé que les quatre toilettes de Catherine lui donnaient bien de l'occupation.

Elle a tant tourmenté sa mère qu'elle a fini par se faire donner, pour sa poupée, une femme de chambre, une autre poupée plus petite et moins belle.

De sorte que Rose a, maintenant, à habiller, chaque matin, Catherine et sa chambrière.

*

Et les parents sourient. Ils trouvent l'enfant très drôle. Quand elle farde Catherine, ils la regardent par les fentes des portes ; puis ils répètent ses saillies : « Ah ! si vous l'aviez entendue dire : Mademoiselle, vous me ruinez en faux chignons. Voulez-vous être blonde aujourd'hui ? »

Quand sa mère va chez la bonne faiseuse [1], et qu'elle l'emmène, elle lui demande en souriant : « Eh bien ! Rose, Catherine n'a besoin de rien ? » Et il est rare que l'enfant n'obtienne pas pour sa poupée une robe, un manteau, un chiffon quelconque. Car ce n'est pas Rose qui fait les robes de Catherine. Rose ne sait pas coudre. Elle n'apprend que l'art d'être belle.

Hier, comme j'assistais à une toilette de Catherine, je me suis rappelé le beau livre de Michelet : *Nos fils* [2]. Certes, toutes les mères devraient lire cette œuvre. Elles y trouveraient la grande loi de l'éducation.

*

Michelet a posé le principe nouveau : l'action. Il faut que l'enfant agisse, crée. Instruire, c'est apprendre à agir et à créer.

---

1. Faiseuse : ici, couturière.

2. *Nos fils* (Lacroix et Verbœckhoven, 1870), le dernier de la suite des petits livres publiés durant la vie de l'auteur, est un traité d'éducation, fidèle à l'*Émile* de Jean-Jacques Rousseau. Michelet est constamment resté une référence pour Zola.

« Dès que l'esprit de l'enfant est un peu lucide et prend quelque patience, il est ravi de passer à cette *création à deux* que l'on fait avec la terre, le jardinage, la culture, où on dirige la nature, mais en obéissant soi-même à l'ordre un peu lent de ses lois.

« *Créer*, produire ! quel bonheur pour l'enfant ! Si c'est son bonheur, c'est aussi sa mission.

« *Créer*, c'est l'éducation. »

Ces lignes me revenaient à la mémoire, en face de la petite Rose, à qui sa mère donnait à créer une marionnette mondaine. Michelet le fait entendre dans son admirable prose généreuse et imagée comme de la poésie, de bonne heure le cerveau des enfants se façonne. On sent avec quelle ardeur de tendresse il tremble pour l'esprit de ces pauvres petits êtres qu'un jouet peut fausser, qu'un rire des parents pervertit. Il les aime pour eux, pour leur âge mûr, et c'est ce qui le penche sur leurs berceaux, à l'âge où l'on fait d'eux des femmes honnêtes et des hommes justes.

Certes, il y a dans *Nos fils* des vues larges sur l'avenir, toute une philosophie de l'éducation d'une grande profondeur et d'une grande vérité. Mais ce qui me touche davantage, ce qui me va le plus au cœur, ce sont les pages que l'auteur consacre à la première enfance, à cette heure vague et charmante, qui décide parfois d'une vie entière.

Et il montre avec émotion ces écoles suisses et allemandes, dans lesquelles les enfants, assis devant leurs petites tables, travaillent, apprennent la vie en créant. Âge adorable que celui où le travail peut être un jeu et le jeu, une leçon ! Mais il y a un péril ; il faut se défier des jouets qui enseignent le mal comme le bien. Ah ! quel beau feu de joie je ferais dans certaines boutiques de joujoux !

*

Et d'abord je brûlerais Catherine. Je la brûlerais comme sorcière, comme fée aux enchantements funestes.

Ça, une poupée ? Mais c'est une fille, simplement. Elle a des hanches, elle a de la gorge. Que voulez-vous donc que pense ma jeune amie, la petite Rose, en face de cette femme, grande comme elle, et qui a d'étranges formes qu'elle n'a pas elle-même ? Moi, je tremble, quand elle la retourne toute nue sur ses genoux, d'un petit air songeur.

Et quelles leçons lui donne cette fille ? Elle sourit toujours, même en dormant. Est-ce le sourire de la demoiselle à marier ? est-ce le sourire de la lorette [1] ? Cette grande marionnette, avec sa tête en cire, son rire froid, ses articulations complaisantes, toute sa personne inerte et jolie, est l'enseignement de la frivolité vide et lâche, du vice mondain, sans passion, honteusement facile.

Que dit-elle à Rose ?

« Ma petite Rose, on a de faux cheveux, on se peint le visage, on vit devant un miroir. Et surtout quatre toilettes par jour, autrement on n'est pas une femme comme il faut.

« Le grand charme, c'est de vivre sans rien faire. Compter ses bijoux, étaler ses robes, c'est déjà un travail bien lourd. Mais quelle récompense ! Quand tu seras grande et que tu pourras te décolleter comme moi, tu verras que quatre heures de toilette sont largement payées par les succès d'une soirée.

« Ah ! tu es une niaise, une enfant, ma petite Rose, et tu ne comprends pas encore. Mais tu grandiras vite. Je te vois déjà rêveuse en me regardant. Va, tourne-moi sur toutes les faces. Tu apprendras comment une femme est faite, et tu sauras avant l'heure la vie de mes pareilles, les belles filles éternellement souriantes. »

---

1. Lorette : jeune femme coquette, menant une vie assez libre. Au XIXᵉ siècle, la lorette est souvent considérée comme une prostituée.

*

L'Empire a perverti jusqu'aux poupées de nos enfants. Je ne plaisante pas. Voyez chez les marchands de jouets les Catherine vêtues de soie. Elles sont pourries de vices. Jamais, sous aucun régime, les poupées n'ont eu cet air casseur, cette allure de grandes dames affichant le débraillé élégant des filles.

Vite, qu'on donne à ma petite Rose une Catherine du bon vieux temps, qui ne sache ni faire la révérence, ni s'étendre trop aisément sur tous les lits qu'elle rencontre ; une Catherine bourrée de son, au corps grêle et abstrait, avec de petits bandeaux chastes, peints sur les tempes, et une bouche qui ne montre pas les dents.

Et surtout, qu'on la lui donne sans le moindre bout de mobilier, sans le plus mince trousseau. Elle la couchera dans son lit, comme une mère tendre et inquiète, si elle a peur qu'elle n'ait froid. Et elle l'habillera elle-même, avec les chiffons qu'elle trouvera au fond des armoires ; elle lui fera six chemises, deux jupons, deux robes ; cela suffit pour une poupée honnête.

Alors, elle entendra sa Catherine, cette image chastement puérile de sa maternité future, lui dire doucement :

« Je suis ta fille. Tu m'habilles de ton travail, tu apprends à être honnête femme, à être mère [1]. »

_____

1. Même si le texte est une charge contre le second Empire (« l'Empire a perverti jusqu'aux poupées de nos enfants »), il rend plus généralement un son d'actualité en montrant le lien symbolique étroit entre le jouet et les valeurs que la société cherche à incarner dans les objets. En outre, la place de l'enfant devient essentielle dans les familles (bourgeoises) et l'éducation un enjeu majeur.

LES REGRETS DE LA MARQUISE [1]

Depuis quinze mois, la marquise est désolée, désespérée, anéantie. Elle a des migraines affreuses, des mauvaises humeurs terribles. Elle bat, d'impatience, ses femmes de chambre ; elle se battrait elle-même, si elle n'avait le respect de sa charmante personne. Hélas ! depuis quinze mois, la marquise n'a pas eu le moindre bal, la moindre occasion de montrer ses épaules.

Autrefois, dans le bon temps, je vous ai parlé de ces épaules fameuses, les plus solides soutiens du second Empire [2]. Elle les montrait jusqu'aux reins, jusqu'à la pointe des seins, et convertissait les plus austères aux merveilles du régime. Ce sont ces épaules qui, chez les ministres, dans les ambassades, ont fait applaudir la guerre du Mexique et les autres sottises de Bonaparte. Jamais M. Rouher [3] n'aurait consenti au deuxième plébiscite, si ces épaules-là ne lui avaient assuré la victoire.

---

1. Texte paru dans *La Cloche*, le 2 octobre 1871.

2. Le 21 février 1870, Zola avait effectivement fait paraître un texte satirique intitulé *Les Épaules de la marquise*. L'écrivain, comme le chroniqueur politique, a choisi ce symbole pour stigmatiser l'Empire. Dans *La Curée*, qui paraît au même moment en feuilleton, également dans *La Cloche*, il est constamment fait allusion aux belles épaules « laiteuses » de Renée comme à celles des femmes impures. *Les Épaules de la marquise* fut repris, écourté, dans les *Nouveaux Contes à Ninon* (voir ci-après, p. 209).

3. Eugène Rouher (1814-1884), principal ministre de Napoléon III, dont Zola s'inspirera pour son personnage d'Eugène Rougon, notamment dans le sixième volume de sa saga romanesque, *Son Excellence Eugène Rougon* (1876).

Et la carrière de ces épaules serait terminée ! Il
leur faudrait prendre leur retraite à l'exemple de certains maréchaux de l'Empire ! Elles ne combat-
traient plus ! Elles resteraient au fourreau, je veux
dire dans le corsage, comme de vieilles armes
rouillées qui n'auraient plus qu'un intérêt archéolo-
gique !

Les épaules de la marquise protestent, elles sont
solides, jeunes, savoureuses encore. Elles veulent
combattre. Qu'on les tire du fourreau, qu'on les
montre à la lueur des lustres, dans leur rondeur adorable, avec leurs palpitements de colombe amoureuse, et les hommes tomberont à genoux,
acclamant César, qui, pendant vingt ans, donna le
vol à ces prisonnières, inconsolables dans leur
cachot.

Quelle mégère jalouse que cette République ! La
marquise la hait de toute sa puissance. C'est elle qui
a fermé les corsages, éteint les lustres, empêché les
pauvres petites gorges de ces dames de faire l'école
buissonnière. Elle doit être vieille, cette République,
avoir les seins vides, le cou trop long, la peau gercée,
sans cela, elle ferait comme les autres, elle montre-
rait ce que toutes les femmes souhaitent de montrer.
Chaque matin, la marquise se donne une joie ; elle
se fait apporter un buste en plâtre de la République,
elle le casse sur le parquet, en piétine les débris, les
réduit en poudre, en balbutiant de colère :

« Tiens, tiens, bégueule [1] !... Voilà pour tes robes
montantes ! »

*

La marquise, deux fois par semaine, en est réduite
à se donner une soirée à elle-même. Chère femme !
elle en perdra la tête, et j'ai les larmes aux yeux en
vous contant sa douce folie.

---

1. Bégueule : femme exagérément prude, en langage familier.

Elle fait allumer les bougies de son salon, et s'habille comme si elle partait pour les Tuileries. Elle met une robe exquise, toujours la même, une robe qui, une nuit, arrêta net l'empereur et lui fit dire : « Ah ! madame, vous êtes Vénus en personne ! » Un amour, cette robe, une illusion, un rêve. Imaginez un flot de mousseline, quelque chose de léger comme un brouillard ; et, dans cette aurore, des étoiles, des perles, des gouttes de rosée. Les épaules, les célèbres épaules, sortent de là-dedans, comme d'un nuage lumineux. C'est Aphrodite qui naît, qui grandit de l'écume. Encore un effort, et elle sera dans sa nudité, resplendissante, ses talons roses posés sur le nuage.

Quand la marquise est habillée, elle va au salon. Elle est toute seule, sous les clartés chaudes. Mais les glaces sont nombreuses, et elle aperçoit des épaules de tous les côtés. Même lorsqu'elle se place à un certain endroit, près du guéridon, elle voit, devant et derrière elle, une file interminable de gorges nues, alignées comme pour la parade, se soulevant du même souffle, allumées de la même ardeur.

Cela la console, la chère petite femme. Pendant une heure, elle s'imagine que la grande bataille va recommencer. Elle est ravie des bonnes dispositions des épaules. Quelle armée ardente et convaincue, et comme de tels soldats vengeraient Sedan et Metz !

*

Hier, une bonne amie, la petite baronne, celle qui a un dos si connu et si justement renommé, a forcé la consigne des valets, et s'est précipitée dans le salon où la marquise se faisait des révérences.

Elle a poussé un cri de surprise et de joie.

« Tu en es, a-t-elle dit, en battant des mains, tu essaies tes armes... Et moi qui venais t'enrôler ! »

La marquise ne comprenait pas. Mais alors la petite baronne, voyant qu'elle avait une histoire à conter, s'est récriée sur les pressentiments de son amie.

« Imagine-toi que le général est venu me voir hier. Je m'ennuyais, oh ! à mourir... "Sacrebleu ! m'a dit le général, ce n'est pas le tout que d'avoir la migraine ; vous devez nous aider, ma charmante... Le coup de chien [1] approche. Vous avez un dos qui, sans vous flatter, peut décider la bataille. Il faut montrer votre dos, que diable ! L'empereur le veut. Il le recommande expressément dans une note chiffrée que j'ai là : Montrer le dos de la baronne..." »

La marquise jouissait profondément. Elle entrevoyait le but du général.

« Tu connais le général, continua la petite baronne. C'est un homme tout rond. Il a ajouté : "L'empereur parle aussi de la marquise. Le dos, chez elle, n'est que passable ; mais le devant est exquis. On la prie de le montrer. C'est l'ordre..." Tu penses si je suis accourue aujourd'hui... Ah ! ma toute belle, je crois que les beaux jours vont renaître. J'ai peur de devenir folle, quand je songe que je vais me décolleter. »

*

Les deux amies restèrent longtemps ensemble. Elles parlaient à voix basse, au milieu du grand salon, dans le flamboiement des lustres. Le lieu était choisi, pour une si délicieuse conspiration.

Elles devinaient ce qu'on ne leur disait pas. L'Empire allait revenir, et il comptait autant sur leur peau blanche que sur la candidature de M. Rouher et le journal de M. Duvernois [2]. Le dos de la baronne, la gorge de la marquise sont des arguments irréfutables. Quiconque les a dans son jeu gagne la

---

1. Coup de chien : au sens figuré, tempête, moment de crise, affrontement.

2. Clément Duvernois (1836-1879), député au Corps législatif en 1869, venait en septembre 1871 de fonder *L'Ordre*, quotidien bonapartiste.

partie. On allait saluer ces revenants, ces astres éteints et rallumés, d'un grand cri d'enthousiasme, et ce que l'or, ni les mouchards, ni les brochures, ni toute la légende napoléonienne elle-même ne pourraient faire, les charmes de ces dames, savamment distribués à tous en public et réservés à quelques récalcitrants en particulier, l'accompliraient, à la grande volupté de la France entière.

Elles complotaient, elles préparaient leur coup d'État.

« Moi, disait la petite baronne, je mettrai à peine un soupçon de poudre de riz... Je crois, ma chère, que mon dos a gagné depuis le dernier bal ; il a blanchi en prison. Tu verras... Décolletée très bas, pour montrer ce signe que j'ai au-dessus de la taille, il sera irrésistible.

Moi, disait la marquise, j'ouvrirai le corsage en carré. Ça étoffe plus la gorge, ça la montre dans son ampleur... Je ne sais si je la borderai d'une ruche ou d'une simple dentelle. La dentelle est un peu prude, la ruche s'entrebâille... Décidément, je mettrai une ruche. »

La petite baronne finit par dégrafer un brin son corsage, et ces dames s'examinèrent, se critiquèrent, s'admirèrent. Dans les glaces du grand salon, tout un peuple d'épaules frissonnaient. C'était prodigieux, délirant, puis d'une voix exaltée :

« Nous jurons de vaincre ! dit la marquise en étendant le bras.

– Nous jurons de vaincre ! » répéta héroïquement la petite baronne.

*

Ah ! vieille République, affreuse bégueule, tiens-toi bien ! Voici la saison d'hiver qui commence, et gare à la conspiration des épaules !

À NINON [1]

PRÉFACE DES *NOUVEAUX CONTES À NINON*

Il y a juste dix ans, ma chère âme, que je t'ai conté mes premiers contes. Quels beaux amoureux nous étions alors ! J'arrivais de cette terre de Provence, où j'ai grandi si libre, si confiant, si plein de tous les espoirs de la vie. J'étais à toi, à toi seule, à ta tendresse, à ton rêve.

Te souviens-tu, Ninon ? Le souvenir est aujourd'hui l'unique joie où mon cœur se repose. Jusqu'à vingt ans, nous avons battu ensemble les sentiers. J'entends tes petits pieds sur la terre dure ; j'aperçois des bouts de ta jupe blanche au ras des herbes folles ; je sens ton haleine parmi de lointains souffles de sauge, qui m'arrivent comme des bouffées de jeunesse. Et les heures charmantes se précisent : c'était un matin, sur la berge, au bord de l'eau réveillée à peine, toute pure, toute rose des premières rougeurs du ciel ; c'était une après-midi, dans les arbres, dans un trou de feuilles, avec la campagne écrasée, dormant autour de nous, sans un frisson ; c'était un soir, au milieu d'un pré, lentement noyé sous le flot bleuâtre du crépuscule, qui coulait des coteaux ; c'était une nuit, marchant le long d'une

---

1. Préface des *Nouveaux Contes à Ninon*, publiés en 1874 à la Librairie Charpentier. Pour accompagner et soutenir la réédition des *Contes à Ninon*, Zola rassemble des textes parus antérieurement dans la presse entre 1865 et 1873. La préface qui, comme le titre, vise à établir clairement le lien entre les deux volumes, renoue avec la mise en scène autobiographique.

route interminable, allant tous deux à l'inconnu,
insoucieux des étoiles elles-mêmes, au seul bonheur
de laisser la ville, de nous perdre loin, très loin, au
fond de l'ombre discrète. Te souviens-tu, Ninon ?

Quelle vie heureuse ! Nous étions lâchés dans
l'amour, dans l'art, dans le songe. Il n'est pas de
buisson qui n'ait caché nos baisers, étouffé nos causeries. Je t'emmenais, je te promenais, comme la
vivante poésie de mon enfance. À nous deux, nous
avions le ciel, la terre, et les arbres, et les eaux,
jusqu'aux roches nues qui fermaient l'horizon. Il me
semblait, à cet âge, qu'en ouvrant les bras, j'allais
prendre toute la campagne sur ma poitrine, pour lui
donner un baiser de paix. Je me sentais des forces,
des désirs, des bontés de géant. Nos courses de
gamins échappés, nos amours d'oiseaux libres,
m'avaient inspiré un grand mépris du monde, une
tranquille croyance aux seules énergies de la vie.
Oui, c'est dans tes tendresses de toutes les heures,
mon amie, que j'ai fait jadis cette provision de courage, dont mes compagnons, plus tard, se sont si
souvent étonnés. Les illusions de nos cœurs étaient
des armures d'acier fin, qui me protègent encore.

Je te quittai, je quittai cette Provence dont tu étais
l'âme, et ce fut toi que, dès la veille de la lutte,
j'invoquais comme une bonne sainte. Tu eus mon
premier livre. Il était tout plein de ton être, tout par-
fumé du parfum de tes cheveux. Tu m'avais envoyé
au combat, avec un baiser au front, en amante brave
qui veut la victoire du soldat qu'elle aime. Et moi,
je ne me souvenais toujours que de ce baiser, je ne
pensais qu'à toi, je ne pouvais parler que de toi.

Dix ans se sont écoulés. Ah ! ma chère âme, que
de tempêtes ont grondé, que d'eau noire, que de
débâcles ont passé depuis ce temps sous les ponts
croulants de mes rêves ! Dix ans de travaux forcés,
dix ans d'amertume, de coups donnés et reçus,
d'éternel combat ! J'ai le cœur et le cerveau tout
balafrés de blessures. Si tu voyais ton amoureux de
jadis, ce grand garçon souple qui rêvait de déplacer

les montagnes d'une chiquenaude, si tu le voyais
passer dans le jour blafard de Paris, la face terreuse,
alourdi de lassitude, tu grelotterais, ma pauvre
Ninon, en regrettant les clairs soleils, les midis
ardents, éteints à jamais. Certains soirs, je suis si
brisé, que j'ai une envie lâche de m'asseoir au bord
de la route, quitte à m'endormir pour toujours dans
le fossé. Et sais-tu, Ninon, ce qui me pousse sans
cesse en avant, ce qui me rend du cœur, à chaque
faiblesse ? C'est ta voix, ma bien-aimée, ta voix loin-
taine, ton filet de voix pure qui me crie mes ser-
ments.

Certes, je te sais fille de courage. Je puis te montrer mes plaies, tu ne m'en aimeras que mieux. Cela
me soulagera de me plaindre à toi, qui me console-
ras. Je n'ai pas quitté la plume un seul jour, mon
amie ; je me suis battu en soldat qui a son pain à
gagner ; si la gloire vient, elle m'empêchera de manger mon pain sec. Que de besogne mauvaise, et dont
j'ai encore le dégoût à la gorge ! Pendant dix ans, j'ai
alimenté comme tant d'autres du meilleur de moi la
fournaise du journalisme. De ce labeur colossal, il
ne reste rien, qu'un peu de cendre. Feuilles jetées au
vent, fleurs tombées à la boue, mélange de l'excellent et du pire, gâché dans l'auge commune. J'ai tou-
ché à toutes choses, je me suis sali les mains dans ce
torrent de médiocrité trouble qui coule à pleins
bords. Mon amour de l'absolu saignait, au milieu
de ces niaiseries, si grosses d'importance le matin, si
oubliées le soir. Lorsque je rêvais quelque coup de
pouce éternel donné dans le granit, quelque œuvre
de vie plantée debout à jamais, je soufflais des bulles
de savon que crevait l'aile des mouches ronflantes
au soleil. J'aurais glissé à l'hébétement du métier si,
dans mon amour de la force, je n'avais eu une consolation, celle de cette production incessante, qui me
rompait à toutes les fatigues [1].

---

1. L'attitude de Zola par rapport au journalisme est ambiva-
lente. Ici, dans la lignée des préfaces à *Illusions perdues* de Balzac,
se lit la révolte de l'orgueil artistique humilié par les basses beso-

Puis, mon amie, j'étais armé en guerre. Tu ne saurais croire les soulèvements de colère que la sottise produisait en moi. J'avais la passion de mes opinions, j'aurais voulu enfoncer mes croyances dans la gorge des autres. Un livre me rendait malade, un tableau me désespérait comme une catastrophe publique ; je vivais dans une bataille continue d'admiration et de mépris. En dehors des lettres, en dehors de l'art, le monde n'était plus [1]. Et quels coups de plume, quels chocs furieux pour faire la place nette ! Aujourd'hui, je hausse les épaules. Je suis un vieil endurci dans le mal, j'ai gardé ma foi, je crois même être plus intraitable encore ; mais je me contente de m'enfermer et de travailler. C'est la seule façon de discuter sainement ; car les œuvres ne sont que des arguments, dans l'éternelle discussion du beau [2].

Tu penses bien que je ne suis pas sorti intact de la bataille. J'ai des cicatrices un peu partout, je te l'ai dit, au cerveau et au cœur. Je ne riposte plus, j'attends qu'on s'habitue à mon air. Peut-être ainsi pourrai-je te revenir entier. C'est que, mon amie, j'ai quitté nos galants sentiers d'amoureux, où les fleurs poussent, où l'on ne cueille que des sourires. J'ai pris la grand-route, grise de poussière, aux arbres maigres ; je me suis même, je le confesse, arrêté

---

gnes, plus que la satisfaction devant le labeur accompli. Mais, à d'autres occasions, l'écrivain plaidera en faveur de l'école d'énergie et de style de la presse littéraire. Voir par exemple *L'Argent dans la littérature*, repris dans *Le Roman expérimental*, GF-Flammarion, 2006, p. 185-186.

1. Zola s'est d'abord fait connaître comme critique d'art et comme critique littéraire par ses prises de position tapageuses. Ses articles en faveur de la modernité parurent sous des titres sonores, *Mon Salon* et *Mes Haines*, en 1866.

2. Au Beau immuable, dont il a fait le procès en littérature et en peinture, Zola, ici disciple du romantisme, préfère « les libres manifestations du génie humain » (préface de *Mes Haines*, in *OC*, t. X, p. 27). De même, Baudelaire, dans *Le Peintre de la vie moderne* (1863), défendait une « théorie rationnelle et historique du beau, en opposition avec la théorie du beau unique et absolu » (*Œuvres complètes*, *op. cit.*, t. II, p. 685).

curieusement devant des chiens crevés, au coin des bornes ; j'ai parlé de vérité, j'ai prétendu qu'on pouvait tout écrire, j'ai voulu prouver que l'art est dans la vie et non ailleurs. Naturellement, on m'a poussé au ruisseau [1]. Moi, Ninon, moi qui ai employé ma jeunesse à glaner pour ton corsage les pâquerettes et les bluets !

Tu me pardonneras mes infidélités d'amant. Les hommes ne peuvent rester toujours dans les jupes des filles. Il vient une heure où vos fleurs sont trop douces. Tu te rappelles la pâle soirée d'automne, la soirée de nos adieux ? C'est au sortir de tes bras frêles, que la vérité m'a emporté dans ses dures mains. J'ai été fou d'analyse exacte. Après les travaux courants, je prenais mes nuits, j'écrivais page à page les livres qui me hantaient. Si j'ai un orgueil, j'ai celui de cette volonté dont l'effort m'a tiré lentement des besognes du métier. J'ai mangé, sans rien vendre de mes croyances. Je te devais ces confidences, à toi qui as le droit de savoir quel homme est devenu l'enfant dont tu as protégé les débuts.

Aujourd'hui, ma seule souffrance est d'être seul. Le monde finit à la grille de mon jardin. Je me suis enfermé chez moi pour ne mettre que le travail dans ma vie et je me suis si bien enfermé, que personne ne vient plus. C'est pourquoi, ma chère âme, j'ai évoqué ton souvenir, au milieu de la lutte. J'étais trop seul, après dix ans de séparation ; je voulais te revoir, te baiser les cheveux, te dire que je t'aime toujours. Cela me soulage. Viens, et n'aie point peur, je ne suis pas si noir qu'on me fait. Je t'assure, je t'aime toujours, je rêve d'avoir encore des roses, pour en mettre un bouquet à ton sein. J'ai des envies de laitage. Si je ne craignais de faire rire, je t'emmènerais sous quelque charmille, avec un mouton

---

1. À la réception de *Thérèse Raquin* (1867), la critique a parlé de « littérature putride » (voir l'article de Louis Ulbach, sous le pseudonyme de Ferragus, *Le Figaro*, 23 janvier 1868).

blanc, pour nous dire tous les trois des choses tendres.

Et sais-tu ce que j'ai fait, Ninon, pour te retenir auprès de moi toute cette nuit ? Je te le donne en mille. J'ai fouillé le passé, j'ai cherché dans ces centaines de pages écrites un peu partout, si je n'en trouverais pas d'assez délicates pour tes oreilles. Au beau milieu de mes rudesses, il m'a plu de mettre cette douceur. Oui, j'ai voulu ce régal pour nous deux. Nous redevenons enfants, nous goûtons sur l'herbe. Ce sont des contes, rien que des contes [1], de la confiture dans de la porcelaine de gamins. N'est-ce pas charmant ? trois groseilles, deux grains de raisin sec, suffiront à notre faim, et nous nous griserons avec cinq gouttes de vin dans de l'eau claire. Écoute, curieuse. J'ai d'abord quelques contes assez décents ; certains même ont un commencement et une fin ; d'autres, il est vrai, vont pieds nus, après avoir jeté leur bonnet par-dessus les toits. Mais je dois t'avertir que, plus loin, nous entrerons dans des fantaisies [2] qui battent absolument la campagne. Dame ! j'ai tout glané, il fallait bien te retenir la nuit entière. Là, je chante la chanson des « t'en souviens-tu ? ». Ce sont nos souvenirs à la queue leu leu, ma fille ; tout ce qu'il y a de plus doux pour nous, le meilleur de nos amours. Si cela ennuie les autres, tant pis ! ils n'ont pas besoin de venir mettre le nez dans nos affaires. Puis, pour te garder encore, j'enta-

---

1. Même dispositif de présentation métaphorique que dans la préface des premiers *Contes à Ninon*. Mais Zola, qui est maintenant connu comme un adepte militant du réalisme littéraire, cherche à modifier la perception du public en rappelant ses compétences de conteur, quitte à exagérer la dimension fantaisiste de son deuxième recueil.

2. Le mot est devenu à la mode vers 1845-1850, au point de désigner un improbable « groupe » littéraire composé de Théophile Gautier, Arsène Houssaye, Théodore de Banville... En 1861, de février à novembre seulement, paraîtra une *Revue fantaisiste* dirigée par Catulle Mendès. Dans ses œuvres critiques, Zola désapprouve fermement cette orientation de la littérature contemporaine.

merai une longue histoire, la dernière, celle qui nous
mènera, je l'espère, jusqu'au matin. Elle est tout au
bout des autres, placée à dessein pour t'endormir
dans mes bras. Nous laisserons tomber le volume, et
nous nous embrasserons.

Ah ! Ninon, quelle débauche de blanc et de rose !
Je ne promets pas cependant que, malgré tous mes
soins à enlever les épines, il ne reste pas quelque
goutte de sang dans ma botte de fleurs. Je n'ai plus
les mains assez pures pour nouer des bouquets sans
danger. Mais ne t'inquiète point : si tu te piques, je
baiserai tes doigts, je boirai ton sang. Ce sera moins
fade.

Demain, j'aurai rajeuni de dix ans. Il me semblera
que j'arrive de la veille, du fond de notre jeunesse,
avec le miel de ton baiser aux lèvres. Ce sera le
recommencement de ma tâche. Ah ! Ninon, je n'ai
rien fait encore. Je pleure sur cette montagne de
papier noirci ; je me désole à penser que je n'ai pu
étancher ma soif du vrai, que la grande nature
échappe à mes bras trop courts. C'est l'âpre désir,
prendre la terre, la posséder dans une étreinte, tout
voir, tout savoir, tout dire. Je voudrais coucher
l'humanité sur une page blanche, tous les êtres,
toutes les choses ; une œuvre qui serait l'arche
immense.

Et ne m'attends pas de longtemps au rendez-vous
que je t'ai donné, en Provence, après la tâche ache-
vée. Il y a trop à faire. Je veux le roman [1], je veux le
drame, je veux la vérité partout. Ne m'apporte plus
ton cher souvenir que la nuit ; viens sur le rayon de
lune qui glisse entre mes rideaux, à l'heure où je
pourrai pleurer avec toi sans être vu. J'ai besoin de
toute ma virilité. Plus tard, oh ! plus tard, ce sera
moi qui irai te retrouver dans les campagnes tièdes
encore de nos tendresses. Nous serons bien vieux ;

---

1. Zola s'est lancé dans *Les Rougon-Macquart* en 1870, mais il
est un adepte du roman depuis *La Confession de Claude* en 1865.

mais nous nous aimerons toujours [1]. Tu me mèneras
en pèlerinage sur la berge, au bord de l'eau, réveillée
à peine ; dans les trous de feuilles, avec la campagne
ardente dormant autour de nous ; au milieu des
prés, lentement noyés sous le flot bleuâtre du crépuscule ; le long de la route interminable, insoucieux
des étoiles, au seul bonheur de nous perdre dans
l'ombre. Et les arbres, les brins d'herbe, jusqu'aux
cailloux, nous reconnaîtront de loin, à nos baisers,
et nous souhaiteront la bienvenue.

Écoute, pour que nous ne nous cherchions pas, je
veux te dire derrière quelle haie j'irai te prendre. Tu
sais l'endroit où la rivière fait un coude, après le
pont, plus bas que le lavoir, juste en face du grand
rideau de peupliers ? Souviens-toi, nous nous y
sommes baisé les mains, un matin de mai. Eh bien !
à gauche, il y a une haie d'aubépines, ce mur de
verdure au pied duquel nous nous couchions pour
ne plus voir que le bleu du ciel. C'est derrière la
haie d'aubépines, ma chère âme, que je te donne
rendez-vous, à des années, un jour de soleil pâle,
lorsque ton cœur me saura dans les environs.

ÉMILE ZOLA.
Paris, 1er octobre 1874.

---

1. Le penchant à la rêverie reconnu ici dans cette confession un
peu distancée et littérarisée s'épanouira dans les drames lyriques
composés en collaboration dans les années 1890 : *Le Rêve* (1891),
Messidor (1897), sur une musique d'Alfred Bruneau.

LE GRAND MICHU [1]

I

Une après-midi, à la récréation de quatre heures, le grand Michu me prit à part, dans un coin de la cour. Il avait un air grave qui me frappa d'une certaine crainte ; car le grand Michu était un gaillard, aux poings énormes, que, pour rien au monde, je n'aurais voulu avoir pour ennemi.

« Écoute, me dit-il de sa voix grasse de paysan à peine dégrossi, écoute, veux-tu en être ? »

Je répondis carrément : « Oui ! » flatté d'être de quelque chose avec le grand Michu. Alors, il m'expliqua qu'il s'agissait d'un complot. Les confidences qu'il me fit, me causèrent une sensation délicieuse, que je n'ai jamais peut-être éprouvée depuis. Enfin, j'entrais dans les folles aventures de la vie, j'allais avoir un secret à garder, une bataille à livrer. Et, certes, l'effroi inavoué que je ressentais à l'idée de me compromettre de la sorte, comptait pour une bonne moitié dans les joies cuisantes de mon nouveau rôle de complice.

Aussi, pendant que le grand Michu parlait, étais-je en admiration devant lui. Il m'initia d'un ton un peu rude, comme un conscrit dans l'énergie duquel on a

1. Troisième des *Nouveaux Contes à Ninon*, *Le Grand Michu* est d'abord paru dans *La Cloche* du 1er mars 1870, avec un préambule qui mettait le texte en relation avec l'actualité des protestations lycéennes qui éclataient ici et là, et dont la presse d'opposition (notamment *Le Rappel*) se faisait l'écho complaisant.

une médiocre confiance. Cependant, le frémissement d'aise, l'air d'extase enthousiaste que je devais avoir en l'écoutant, finirent par lui donner une meilleure opinion de moi.

Comme la cloche sonnait le second coup, en allant tous deux prendre nos rangs pour rentrer à l'étude :

« C'est entendu, n'est-ce pas ? me dit-il à voix basse. Tu es des nôtres... Tu n'auras pas peur, au moins ; tu ne trahiras pas ?

– Oh ! non, tu verras... C'est juré. »

Il me regarda de ses yeux gris, bien en face, avec une vraie dignité d'homme mûr, et me dit encore :

« Autrement, tu sais, je ne te battrai pas, mais je dirai partout que tu es un traître, et personne ne te parlera plus. »

Je me souviens encore du singulier effet que me produisit cette menace. Elle me donna un courage énorme. « Bast ! me disais-je, ils peuvent bien me donner deux mille vers ; du diable si je trahis Michu ! » J'attendis avec une impatience fébrile l'heure du dîner. La révolte devait éclater au réfectoire.

II

Le grand Michu était du Var. Son père, un paysan qui possédait quelques bouts de terre, avait fait le coup de feu en 51, lors de l'insurrection provoquée par le coup d'État. Laissé pour mort dans la plaine d'Uchâne, il avait réussi à se cacher. Quand il reparut, on ne l'inquiéta pas. Seulement, les autorités du pays, les notables, les gros et les petits rentiers ne l'appelèrent plus que ce brigand de Michu.

Ce brigand, cet honnête homme illettré, envoya son fils au collège d'A***. Sans doute il le voulait savant pour le triomphe de la cause qu'il n'avait pu défendre, lui, que les armes à la main. Nous savions vaguement cette histoire, au collège, ce qui nous fai-

sait regarder notre camarade comme un personnage
très redoutable.

Le grand Michu était, d'ailleurs, beaucoup plus
âgé que nous. Il avait près de dix-huit ans, bien qu'il
ne se trouvât encore qu'en quatrième. Mais on
n'osait le plaisanter. C'était un de ces esprits droits,
qui apprennent difficilement, qui ne devinent rien ;
seulement, quand il savait une chose, il la savait à
fond et pour toujours. Fort, comme taillé à coups de
hache, il régnait en maître pendant les récréations.
Avec cela, d'une douceur extrême. Je ne l'ai jamais
vu qu'une fois en colère ; il voulait étrangler un pion
qui nous enseignait que tous les républicains étaient
des voleurs et des assassins. On faillit mettre le grand
Michu à la porte.

Ce n'est que plus tard, lorsque j'ai revu mon
ancien camarade dans mes souvenirs, que j'ai pu
comprendre son attitude douce et forte. De bonne
heure, son père avait dû en faire un homme.

III

Le grand Michu se plaisait au collège, ce qui
n'était pas le moindre de nos étonnements. Il n'y
éprouvait qu'un supplice dont il n'osait parler : la
faim. Le grand Michu avait toujours faim.

Je ne me souviens pas d'avoir vu un pareil appétit.
Lui qui était très fier, il allait parfois jusqu'à jouer
des comédies humiliantes pour nous escroquer un
morceau de pain, un déjeuner ou un goûter. Élevé
en plein air, au pied de la chaîne des Maures, il souffrait encore plus cruellement que nous de la maigre
cuisine du collège.

C'était là un de nos grands sujets de conversation,
dans la cour, le long du mur qui nous abritait de son
filet d'ombre. Nous autres, nous étions des délicats.
Je me rappelle surtout une certaine morue à la sauce
rousse et certains haricots à la sauce blanche qui
étaient devenus le sujet d'une malédiction générale.

Les jours où ces plats apparaissaient, nous ne tarissions pas. Le grand Michu, par respect humain, criait avec nous, bien qu'il eût avalé volontiers les six portions de sa table.

Le grand Michu ne se plaignait guère que de la quantité des vivres. Le hasard, comme pour l'exaspérer, l'avait placé au bout de la table, à côté du pion, un jeune gringalet qui nous laissait fumer en promenade. La règle était que les maîtres d'étude avaient droit à deux portions. Aussi, quand on servait des saucisses, fallait-il voir le grand Michu lorgner les deux bouts de saucisses qui s'allongeaient côte à côte sur l'assiette du petit pion.

« Je suis deux fois plus gros que lui, me dit-il un jour, et c'est lui qui a deux fois plus à manger que moi. Il ne laisse rien, va ; il n'en a pas de trop ! »

IV

Or, les meneurs avaient résolu que nous devions à la fin nous révolter contre la morue à la sauce rousse et les haricots à la sauce blanche.

Naturellement, les conspirateurs offrirent au grand Michu d'être leur chef. Le plan de ces messieurs était d'une simplicité héroïque : il suffirait, pensaient-ils, de mettre leur appétit en grève, de refuser toute nourriture, jusqu'à ce que le proviseur déclarât solennellement que l'ordinaire serait amélioré. L'approbation que le grand Michu donna à ce plan, est un des plus beaux traits d'abnégation et de courage que je connaisse. Il accepta d'être le chef du mouvement, avec le tranquille héroïsme de ces anciens Romains qui se sacrifiaient pour la chose publique.

Songez donc ! lui se souciait bien de voir disparaître la morue et les haricots ; il ne souhaitait qu'une chose, en avoir davantage, à discrétion ! Et, pour comble, on lui demandait de jeûner ! Il m'a avoué depuis que jamais cette vertu républicaine que

son père lui avait enseignée, la solidarité, le dévouement de l'individu aux intérêts de la communauté,
n'avait été mise en lui à une plus rude épreuve.

Le soir, au réfectoire – c'était le jour de la morue
à la sauce rousse –, la grève commença avec un
ensemble vraiment beau. Le pain seul était permis.
Les plats arrivent, nous n'y touchons pas, nous mangeons notre pain sec. Et cela gravement, sans causer
à voix basse, comme nous en avions l'habitude. Il
n'y avait que les petits qui riaient.

Le grand Michu fut superbe. Il alla, ce premier
soir, jusqu'à ne pas même manger de pain. Il avait
mis les deux coudes sur la table, il regardait dédai-
gneusement le petit pion qui dévorait.

Cependant, le surveillant fit appeler le proviseur,
qui entra dans le réfectoire comme une tempête. Il
nous apostropha rudement, nous demandant ce que
nous pouvions reprocher à ce dîner, auquel il goûta
et qu'il déclara exquis.

Alors le grand Michu se leva.

« Monsieur, dit-il, c'est la morue qui est pourrie,
nous ne parvenons pas à la digérer.

– Ah ! bien ! cria le gringalet de pion, sans laisser
au proviseur le temps de répondre, les autres soirs,
vous avez pourtant mangé presque tout le plat à vous
seul. »

Le grand Michu rougit extrêmement. Ce soir-là,
on nous envoya simplement coucher, en nous disant
que, le lendemain, nous aurions sans doute réfléchi.

V

Le lendemain et le surlendemain, le grand Michu
fut terrible. Les paroles du maître d'étude l'avaient
frappé au cœur. Il nous soutint, il nous dit que nous
serions des lâches si nous cédions. Maintenant, il
mettait tout son orgueil à montrer que, lorsqu'il le
voulait, il ne mangeait pas.

Ce fut un vrai martyr. Nous autres, nous cachions tous dans nos pupitres du chocolat, des pots de confitures, jusqu'à de la charcuterie, qui nous aidèrent à ne pas manger tout à fait sec le pain dont nous emplissions nos poches. Lui, qui n'avait pas un parent dans la ville, et qui se refusait d'ailleurs de pareilles douceurs, s'en tint strictement aux quelques croûtes qu'il put trouver.

Le surlendemain, le proviseur ayant déclaré que, puisque les élèves s'entêtaient à ne pas toucher aux plats, il allait cesser de faire distribuer du pain, la révolte éclata, au déjeuner. C'était le jour des haricots à la sauce blanche.

Le grand Michu, dont une faim atroce devait troubler la tête, se leva brusquement. Il prit l'assiette du pion, qui mangeait à belles dents, pour nous narguer et nous donner envie, la jeta au milieu de la salle, puis entonna *La Marseillaise* d'une voix forte. Ce fut comme un grand souffle qui nous souleva tous. Les assiettes, les verres, les bouteilles, dansèrent une jolie danse. Et les pions, enjambant les débris, se hâtèrent de nous abandonner le réfectoire. Le gringalet, dans sa fuite, reçut sur les épaules un plat de haricots, dont la sauce lui fit une large collerette blanche.

Cependant, il s'agissait de fortifier la place. Le grand Michu fut nommé général. Il fit porter, entasser les tables devant les portes. Je me souviens que nous avions tous pris nos couteaux à la main. Et *La Marseillaise* tonnait toujours. La révolte tournait à la révolution. Heureusement, on nous laissa à nous-mêmes pendant trois grandes heures. Il paraît qu'on était allé chercher la garde. Ces trois heures de tapage suffirent pour nous calmer.

Il y avait au fond du réfectoire deux larges fenêtres qui donnaient sur la cour. Les plus timides, épouvantés de la longue impunité dans laquelle on nous laissait, ouvrirent doucement une des fenêtres et disparurent. Ils furent peu à peu suivis par les autres élèves. Bientôt le grand Michu n'eut plus qu'une

dizaine d'insurgés autour de lui. Il leur dit alors
d'une voix rude :

« Allez retrouver les autres, il suffit qu'il y ait un
coupable. »

Puis s'adressant à moi qui hésitais, il ajouta :

« Je te rends ta parole, entends-tu ! »

Lorsque la garde eut enfoncé une des portes, elle
trouva le grand Michu tout seul, assis tranquillement
sur le bout d'une table, au milieu de la vaisselle cas-
sée. Le soir même, il fut renvoyé à son père. Quant
à nous, nous profitâmes peu de cette révolte. On
évita bien pendant quelques semaines de nous servir
de la morue et des haricots. Puis, ils reparurent ;
seulement la morue était à la sauce blanche, et les
haricots, à la sauce rousse.

VI

Longtemps après, j'ai revu le grand Michu. Il
n'avait pu continuer ses études. Il cultivait à son tour
les quelques bouts de terre que son père lui avait
laissés en mourant.

« J'aurais fait, m'a-t-il dit, un mauvais avocat ou
un mauvais médecin, car j'avais la tête bien dure. Il
vaut mieux que je sois un paysan. C'est mon
affaire… N'importe, vous m'avez joliment lâché. Et
moi qui justement adorais la morue et les haricots ! »

LES ÉPAULES DE LA MARQUISE [1]

I

La marquise dort dans son grand lit, sous les larges rideaux de satin jaune. À midi, au timbre clair de la pendule, elle se décide à ouvrir les yeux.

La chambre est tiède. Les tapis, les draperies des portes et des fenêtres, en font un nid moelleux, où le froid n'entre pas. Des chaleurs, des parfums traînent. Là, règne l'éternel printemps.

Et, dès qu'elle est bien éveillée, la marquise semble prise d'une anxiété subite. Elle rejette les couvertures, elle sonne Julie.

« Madame a sonné ?

– Dites, est-ce qu'il dégèle ? »

Oh ! bonne marquise ! Comme elle a fait cette question d'une voix émue ! Sa première pensée est pour ce froid terrible, ce vent du nord qu'elle ne sent pas, mais qui doit souffler si cruellement dans les taudis des pauvres gens. Et elle demande si le ciel a fait grâce, si elle peut avoir chaud sans remords, sans songer à tous ceux qui grelottent.

« Est-ce qu'il dégèle, Julie ? »

La femme de chambre lui offre le peignoir du matin, qu'elle vient de faire chauffer devant un grand feu.

---

1. Cinquième des *Nouveaux Contes à Ninon*. Voir ci-dessus, p. 189, note 2.

« Oh ! non, Madame, il ne dégèle pas. Il gèle plus fort, au contraire… On vient de trouver un homme mort de froid sur un omnibus. »

La marquise est prise d'une joie d'enfant ; elle tape ses mains l'une contre l'autre, en criant :

« Ah ! tant mieux ! j'irai patiner cette après-midi. »

II

Julie tire les rideaux, doucement, pour qu'une clarté brusque ne blesse pas la vue tendre de la délicieuse marquise.

Le reflet bleuâtre de la neige emplit la chambre d'une lumière toute gaie. Le ciel est gris, mais d'un gris si joli qu'il rappelle à la marquise une robe de soie gris perle qu'elle portait, la veille, au bal du ministère. Cette robe était garnie de guipures blanches, pareilles à ces filets de neige qu'elle aperçoit au bord des toits, sur la pâleur du ciel.

La veille, elle était charmante, avec ses nouveaux diamants. Elle s'est couchée à cinq heures. Aussi a-t-elle encore la tête un peu lourde. Cependant, elle s'est assise devant une glace, et Julie a relevé le flot blond de ses cheveux. Le peignoir glisse, les épaules restent nues, jusqu'au milieu du dos.

Toute une génération a déjà vieilli dans le spectacle des épaules de la marquise. Depuis que, grâce à un pouvoir fort, les dames de naturel joyeux peuvent se décolleter et danser aux Tuileries, elle a promené ses épaules dans la cohue des salons officiels, avec une assiduité qui a fait d'elle l'enseigne vivante des charmes du second Empire. Il lui a bien fallu suivre la mode, échancrer ses robes, tantôt jusqu'à la chute des reins, tantôt jusqu'aux pointes de la gorge ; si bien que la chère femme, fossette à fossette, a livré tous les trésors de son corsage. Il n'y a pas grand comme ça de son dos et de sa poitrine qui ne soit connu de la Madeleine à Saint-Thomasd'Aquin. Les épaules de la marquise, largement étalées, sont le blason voluptueux du règne.

III

Certes, il est inutile de décrire les épaules de la marquise. Elles sont populaires comme le Pont-Neuf. Elles ont fait pendant dix-huit ans partie des spectacles publics. On n'a besoin que d'en apercevoir le moindre bout, dans un salon, au théâtre ou ailleurs, pour s'écrier : « Tiens ! la marquise ! je reconnais le signe noir de son épaule gauche ! »

D'ailleurs, ce sont de fort belles épaules, blanches, grasses, provocantes. Les regards d'un gouvernement ont passé sur elles en leur donnant plus de finesse, comme ces dalles que les pieds de la foule polissent à la longue.

Si j'étais le mari ou l'amant, j'aimerais mieux aller baiser le bouton de cristal du cabinet d'un ministre, usé par la main des solliciteurs, que d'effleurer des lèvres ces épaules sur lesquelles a passé le souffle chaud du Tout-Paris galant. Lorsqu'on songe aux mille désirs qui ont frissonné autour d'elles, on se demande de quelle argile la nature a dû les pétrir pour qu'elles ne soient pas rongées et émiettées, comme ces nudités de statues, exposées au grand air des jardins, et dont les vents ont mangé les contours.

La marquise a mis sa pudeur autre part. Elle a fait de ses épaules une institution. Et comme elle a combattu pour le gouvernement de son choix ! Toujours sur la brèche, partout à la fois, aux Tuileries, chez les ministres, dans les ambassades, chez les simples millionnaires, ramenant les indécis à coups de sourires, étayant le trône de ses seins d'albâtre, montrant dans les jours de danger des petits coins cachés et délicieux, plus persuasifs que des arguments d'orateurs, plus décisifs que des épées de soldats, et menaçant, pour enlever un vote, de rogner ses chemisettes jusqu'à ce que les plus farouches membres de l'opposition se déclarent convaincus !

Toujours les épaules de la marquise sont restées entières et victorieuses. Elles ont porté un monde, sans qu'une ride vînt en fêler le marbre blanc.

IV

Cette après-midi, au sortir des mains de Julie, la marquise, vêtue d'une délicieuse toilette polonaise, est allée patiner. Elle patine adorablement.

Il faisait, au Bois, un froid de loup, une bise qui piquait le nez et les lèvres de ces dames, comme si le vent leur eût soufflé du sable fin au visage. La marquise riait, cela l'amusait d'avoir froid. Elle allait, de temps à autre, chauffer ses pieds aux brasiers allumés sur les bords du petit lac. Puis elle rentrait dans l'air glacé, filant comme une hirondelle qui rase le sol [1].

Ah ! quelle bonne partie, et comme c'est heureux que le dégel ne soit pas encore venu ! La marquise pourra patiner toute la semaine.

En revenant, la marquise a vu, dans une contre-allée des Champs-Élysées, une pauvresse grelottant au pied d'un arbre, à demi morte de froid.

« La malheureuse ! » a-t-elle murmuré d'une voix fâchée.

Et comme la voiture filait trop vite, la marquise, ne pouvant trouver sa bourse, a jeté son bouquet à la pauvresse, un bouquet de lilas blancs qui valait bien cinq louis.

---

1. Ces lignes ont été reprises presque littéralement au chapitre V de *La Curée*, qui décrit les amusements de Renée et Maxime dans le nouveau Paris : « Ils arrivaient au Bois, par des froids de loup qui leur piquaient le nez et les lèvres, comme si le vent leur eût soufflé du sable fin au visage. Cela les amusait d'avoir froid. [...] Ils filaient tous deux dans l'air glacé, du vol rapide des hirondelles qui rasent le sol » (*La Curée*, in *Les Rougon-Macquart, op. cit.*, t. I, p. 495).

MON VOISIN JACQUES [1]

I

J'habitais alors, rue Gracieuse, le grenier de mes vingt ans. La rue Gracieuse est une ruelle escarpée, qui descend la butte Saint-Victor, derrière le Jardin des Plantes.

Je montais deux étages – les maisons sont basses en ce pays –, m'aidant d'une corde pour ne pas glisser sur les marches usées, et je gagnais ainsi mon taudis dans la plus complète obscurité. La pièce, grande et froide, avait les nudités, les clartés blafardes d'un caveau. J'ai eu pourtant des clairs soleils dans cette ombre, les jours où mon cœur avait des rayons.

Puis, il me venait des rires de gamine, du grenier voisin, qui était peuplé de toute une famille, le père, la mère, et une bambine de sept à huit ans.

Le père avait un air anguleux, la tête plantée de travers entre deux épaules pointues. Son visage osseux était jaune, avec de gros yeux noirs enfoncés sous d'épais sourcils. Cet homme, dans sa mine lugubre, gardait un bon sourire timide ; on eût dit

---

1. Sixième des *Nouveaux Contes à Ninon*, *Mon voisin Jacques* a d'abord paru dans le *Journal des villes et des campagnes* (rubrique *Variétés*) du 21 novembre 1865, sous le titre *Voyages dans Paris. Un souvenir du printemps de ma vie* ; puis dans *L'Événement* (rubrique *Dans Paris*) du 3 novembre 1866, sous le titre plus direct *Un croque-mort* ; il parut ensuite comme une *Causerie* de *La Tribune*, le 10 octobre 1869 ; et enfin il figura dans la rubrique des *Lettres parisiennes* de *La Cloche*, le 24 juin 1872.

un grand enfant de cinquante ans, se troublant, rougissant comme une fille. Il cherchait l'ombre, filait le long des murs avec l'humilité d'un forçat gracié.

Quelques saluts échangés m'en avaient fait un ami. Je me plaisais à cette face étrange, pleine d'une bonhomie inquiète. Peu à peu, nous en étions venus aux poignées de main.

II

Au bout de six mois, j'ignorais encore le métier qui faisait vivre mon voisin Jacques et sa famille. Il parlait peu. J'avais bien, par pur intérêt, questionné la femme à deux ou trois reprises ; mais je n'avais pu tirer d'elle que des réponses évasives, balbutiées avec embarras.

Un jour – il avait plu la veille, et mon cœur était endolori –, comme je descendais le boulevard d'Enfer, je vis venir à moi un de ces parias du peuple ouvrier de Paris, un homme vêtu et coiffé de noir, cravaté de blanc, tenant sous le bras la bière étroite d'un enfant nouveau-né.

Il allait, la tête basse, portant son léger fardeau avec une insouciance rêveuse, poussant du pied les cailloux du chemin. La matinée était blanche. J'eus plaisir à cette tristesse qui passait. Au bruit de mes pas, l'homme leva la tête, puis la détourna vivement, mais trop tard : je l'avais reconnu. Mon voisin Jacques était croque-mort [1].

Je le regardai s'éloigner, honteux de sa honte. J'eus regret de ne pas avoir pris l'autre allée. Il s'en allait, la tête plus basse, se disant sans doute qu'il venait de perdre la poignée de main que nous échangions chaque soir.

---

1. Jacques préfigure Bazouge, le croque-mort alcoolique, jovial et inquiétant de *L'Assommoir*.

III

Le lendemain, je le rencontrai dans l'escalier. Il se rangea peureusement contre le mur, se faisant petit, petit, ramenant avec humilité les plis de sa blouse, pour que la toile n'en touchât pas mon vêtement. Il était là, le front incliné, et j'apercevais sa pauvre tête grise tremblante d'émotion.

Je m'arrêtai, le regardant en face. Je lui tendis la main, toute large.

Il leva la tête, hésita, me regarda en face à son tour. Je vis ses gros yeux s'agiter et sa face jaune se tacher de rouge. Puis, me prenant le bras brusquement, il m'accompagna dans mon grenier, où il retrouva enfin la parole.

« Vous êtes un brave jeune homme, me dit-il ; votre poignée de main vient de me faire oublier bien des regards mauvais. »

Et il s'assit, se confessant à moi. Il m'avoua qu'avant d'être de la partie, il se sentait, comme les autres, pris de malaise, lorsqu'il rencontrait un croque-mort. Mais, depuis ce temps, dans ses longues heures de marche, au milieu du silence des convois, il avait réfléchi à ces choses, il s'était étonné du dégoût et de la crainte qu'il soulevait sur son passage.

J'avais vingt ans alors, j'aurais embrassé un bourreau. Je me lançai dans des considérations philosophiques, voulant démontrer à mon voisin Jacques que sa besogne était sainte. Mais il haussa ses épaules pointues, se frotta les mains en silence, en reprenant de sa voix lente et embarrassée :

« Voyez-vous, monsieur, les cancans du quartier, les mauvais regards des passants, m'inquiètent peu, pourvu que ma femme et ma fille aient du pain. Une seule chose me taquine. Je n'en dors pas la nuit, quand j'y songe. Nous sommes, ma femme et moi, des vieux qui ne sentons plus la honte. Mais les jeunes filles, c'est ambitieux. Ma pauvre Marthe rougira de moi plus tard. À cinq ans, elle a vu un de mes collègues, et elle a tant pleuré, elle a eu si peur, que je n'ai pas encore osé mettre le manteau noir devant elle. Je m'habille et me déshabille dans l'escalier. »

J'eus pitié de mon voisin Jacques ; je lui offris de déposer ses vêtements dans ma chambre, et d'y venir les mettre à son aise, à l'abri du froid. Il prit mille précautions pour transporter chez moi sa sinistre défroque. À partir de ce jour, je le vis régulièrement matin et soir. Il faisait sa toilette dans un coin de ma mansarde.

IV

J'avais un vieux coffre dont le bois s'émiettait, piqué par les vers. Mon voisin Jacques en fit sa garde-robe ; il en garnit le fond de journaux, il y plia délicatement ses vêtements noirs.

Parfois, la nuit, lorsqu'un cauchemar m'éveillait en sursaut, je jetais un regard effaré sur le vieux coffre, qui s'allongeait contre le mur, en forme de bière. Il me semblait en voir sortir le chapeau, le manteau noir, la cravate blanche.

Le chapeau roulait autour de mon lit, ronflant et sautant par petits bonds nerveux ; le manteau s'élargissait, et, agitant ses pans comme des grandes ailes noires, volait dans la chambre, ample et silencieux ; la cravate blanche s'allongeait, s'allongeait, puis se mettait à ramper doucement vers moi, la tête levée, la queue frétillante [1].

---

1. Dans le chapitre X de *L'Assommoir*, Gervaise, qui souffre du voisinage de Bazouge, est victime des mêmes hallucinations : « Dès qu'il rentrait, le soir, elle suivait malgré elle son petit ménage, le chapeau de cuir noir sonnant sourdement sur la commode comme une pelletée de terre, le manteau noir accroché et frôlant le mur avec le bruit d'ailes d'un oiseau de nuit, toute la défroque noire jetée au milieu de la pièce et l'emplissant d'un déballage de deuil » (*L'Assommoir*, in *Les Rougon-Macquart, op. cit.*, t. II, p. 686-687).

J'ouvrais les yeux démesurément, j'apercevais le vieux coffre immobile et sombre dans son coin.

V

Je vivais dans le rêve, à cette époque, rêve d'amour, rêve de tristesse aussi. Je me plaisais à mon cauchemar, j'aimais mon voisin Jacques, parce qu'il vivait avec les morts, et qu'il m'apportait les âcres senteurs des cimetières. Il m'avait fait des confidences. J'écrivais les premières pages des *Mémoires d'un croque-mort*.

Le soir, mon voisin Jacques, avant de se déshabiller, s'asseyait sur le vieux coffre pour me conter sa journée. Il aimait à parler de ses morts. Tantôt, c'était une jeune fille – la pauvre enfant, morte poitrinaire, ne pesait pas lourd ; tantôt, c'était un vieillard – ce vieillard, dont le cercueil lui avait cassé le bras, était un gros fonctionnaire qui devait avoir emporté son or dans ses poches. Et j'avais des détails intimes sur chaque mort, je connaissais leur poids, les bruits qui s'étaient produits dans les bières, la façon dont il avait fallu les descendre, aux coudes des escaliers.

Il arriva que mon voisin Jacques, certains soirs, rentra plus bavard et plus épanoui. Il s'appuyait aux murs, le manteau agrafé sur l'épaule, le chapeau rejeté en arrière. Il avait rencontré des héritiers généreux qui lui avaient payé « les litres et le morceau de brie de la consolation ». Et il finissait par s'attendrir ; il me jurait de me porter en terre, lorsque le moment serait venu, avec une douceur de main tout amicale [1].

---

1. Bazouge promet aussi à Gervaise « de l'emmener avec lui quelque part, sur un dodo où la jouissance du sommeil est si forte, qu'on oublie du coup toutes les misères » (*ibid.*).

VI

Je vécus ainsi plus d'une année en pleine nécrologie.

Un matin mon voisin Jacques ne vint pas. Huit jours après, il était mort.

Lorsque deux de ses collègues enlevèrent le corps, j'étais sur le seuil de ma porte. Je les entendis plaisanter en descendant la bière, qui se plaignait sourdement à chaque heurt.

L'un d'eux, un petit gras, disait à l'autre, un grand maigre :

« Le croque-mort est croqué. »

LE FORGERON [1]

Le Forgeron était un grand, le plus grand du pays, les épaules noueuses, la face et les bras noirs des flammes de la forge et de la poussière de fer des marteaux. Il avait, dans son crâne carré, sous l'épaisse broussaille de ses cheveux, de gros yeux bleus d'enfant, clairs comme de l'acier. Sa mâchoire large roulait avec des rires, des bruits d'haleine qui ronflaient, pareils à la respiration et aux gaietés géantes de son soufflet ; et, quand il levait les bras, dans un geste de puissance satisfaite – geste dont le travail de l'enclume lui avait donné l'habitude –, il semblait porter ses cinquante ans plus gaillardement encore qu'il ne soulevait « la Demoiselle », une masse pesant vingt-cinq livres, une terrible fillette qu'il pouvait seul mettre en danse, de Vernon à Rouen [2].

---

1. *Le Forgeron*, d'abord publié en 1874 dans un *Almanach des travailleurs*, paraît la même année dans les *Nouveaux Contes à Ninon*, où il figure en dixième position. Il renvoie directement à des souvenirs personnels, comme d'autres textes de ce recueil composite. Entre 1866 et 1871, Zola est venu, avec ses amis, artistes pour la plupart, passer des vacances sur les bords de la Seine, à Bennecourt, au-delà de Mantes. Lors d'un de ces séjours, Cézanne et lui furent vivement impressionnés par le spectacle d'un maréchal-ferrant au travail.
2. Ce forgeron quasi mythique, « Vulcain rural » (Henri Mitterand, *Zola*, t. I : *Sous le regard d'Olympia. 1840-1871*, Fayard, 1999, p. 525), annonce évidemment le personnage de Goujet, dit « la Gueule-d'Or », dans *L'Assommoir* : « Quand il prenait son élan, on voyait ses muscles se gonfler, des montagnes de chair roulant et durcissant sous la peau ; ses épaules, sa poitrine, son cou enflaient ; il faisait de la clarté autour de lui, il devenait beau, tout-puissant, comme un Bon Dieu » (*L'Assommoir*, chapitre VI, in *Les Rougon-Macquart, op. cit.*, t. II, p. 533).

J'ai vécu une année chez le Forgeron, toute une
année de convalescence. J'avais perdu mon cœur,
perdu mon cerveau, j'étais parti, allant devant moi,
me cherchant, cherchant un coin de paix et de travail
où je pusse retrouver ma virilité. C'est ainsi qu'un
soir, sur la route, après avoir dépassé le village, j'ai
aperçu la forge, isolée, toute flambante, plantée de
travers à la croix des Quatre-Chemins. La lueur était
telle, que la porte charretière, grande ouverte, incen-
diait le carrefour, et que les peupliers, rangés en face,
le long du ruisseau, fumaient comme des torches.
Au loin, au milieu de la douceur du crépuscule, la
cadence de marteaux sonnait à une demi-lieue, semblable au galop de plus en plus rapproché de
quelque régiment de fer. Puis, là, sous la porte
béante, dans la clarté, dans le vacarme, dans l'ébran-
lement de ce tonnerre, je me suis arrêté, heureux,
consolé déjà, à voir ce travail, à regarder ces mains
d'homme tordre et aplatir les barres rouges.

J'ai vu, par ce soir d'automne, le Forgeron pour la
première fois. Il forgeait le soc d'une charrue. La
chemise ouverte, montrant sa rude poitrine, où les
côtes, à chaque souffle, marquaient leur carcasse de
métal éprouvé, il se renversait, prenait un élan, abat-
tait le marteau. Et cela, sans un arrêt, avec un balan-
cement souple et continu du corps, avec une poussée
implacable des muscles. Le marteau tournait dans
un cercle régulier, emportant des étincelles, laissant
derrière lui un éclair. C'était « la Demoiselle », à
laquelle le Forgeron donnait ainsi le branle, à deux
mains ; tandis que son fils, un gaillard de vingt ans,
tenait le fer enflammé au bout de la pince, et tapait
de son côté, tapait des coups sourds qu'étouffait la
danse éclatante de la terrible fillette du vieux. Toc,
toc – toc, toc – on eût dit la voix grave d'une mère
encourageant les premiers bégaiements d'un enfant.
« La Demoiselle » valsait toujours, en secouant les
paillettes de sa robe, en laissant ses talons marqués
dans le soc qu'elle façonnait, chaque fois qu'elle
rebondissait sur l'enclume. Une flamme saignante

coulait jusqu'à terre, éclairant les arêtes saillantes
des deux ouvriers, dont les grandes ombres s'allongeaient dans les coins sombres et confus de la forge.
Peu à peu, l'incendie pâlit, le Forgeron s'arrêta. Il
resta noir, debout, appuyé sur le manche du marteau, avec une sueur au front qu'il n'essuyait même
pas. J'entendais le souffle de ses côtes encore ébran-
lées, dans le grondement du soufflet que son fils
tirait, d'une main lente.

Le soir, je couchais chez le Forgeron, et je ne m'en
allais plus. Il avait une chambre libre, en haut, au-
dessus de la forge, qu'il m'offrit et que j'acceptai.
Dès cinq heures, avant le jour, j'entrais dans la
besogne de mon hôte. Je m'éveillais au rire de la
maison entière, qui s'animait jusqu'à la nuit de sa
gaieté énorme. Sous moi, les marteaux dansaient. Il
semblait que « la Demoiselle » me jetât hors du lit,
en tapant au plafond, en me traitant de fainéant.
Toute la pauvre chambre, avec sa grande armoire,
sa table de bois blanc, ses deux chaises, craquait, me
criait de me hâter. Et il me fallait descendre. En bas,
je trouvais la forge déjà rouge. Le soufflet ronron-
nait, une flamme bleue et rose montait du charbon,
où la rondeur d'un astre semblait luire, sous le vent
qui creusait la braise. Cependant, le Forgeron prépa-
rait la besogne du jour. Il remuait du fer dans les
coins, retournait des charrues, examinait des roues.
Quand il m'apercevait, il mettait les poings aux
côtes, le digne homme, et il riait, la bouche fendue
jusqu'aux oreilles. Cela l'égayait, de m'avoir délogé
du lit à cinq heures. Je crois qu'il tapait pour taper,
le matin, pour sonner le réveil avec le formidable
carillon de ses marteaux. Il posait ses grosses mains
sur mes épaules, se penchait comme s'il eût parlé à
un enfant, en me disant que je me portais mieux,
depuis que je vivais au milieu de sa ferraille. Et tous
les jours, nous prenions le vin blanc ensemble, sur
le cul d'une vieille carriole renversée.

Puis, souvent, je passais ma journée à la forge.
L'hiver surtout, par les temps de pluie, j'ai vécu

toutes mes heures là. Je m'intéressais à l'ouvrage. Cette lutte continue du Forgeron contre ce fer brut qu'il pétrissait à sa guise, me passionnait comme un drame puissant. Je suivais le métal du fourneau sur l'enclume, j'avais de continuelles surprises à le voir se ployer, s'étendre, se rouler, pareil à une cire molle, sous l'effort victorieux de l'ouvrier. Quand la charrue était terminée, je m'agenouillais devant elle, je ne reconnaissais plus l'ébauche informe de la veille, j'examinais les pièces, rêvant que des doigts souverainement forts les avaient prises et façonnées ainsi sans le secours du feu. Parfois, je souriais en songeant à une jeune fille que j'avais aperçue, autrefois, pendant des journées entières, en face de ma fenêtre, tordant de ses mains fluettes des tiges de laiton, sur lesquelles elle attachait, à l'aide d'un fil de soie, des violettes artificielles.

Jamais le Forgeron ne se plaignait. Je l'ai vu, après avoir battu le fer pendant des journées de quatorze heures, rire le soir de son bon rire, en se frottant les bras d'un air satisfait. Il n'était jamais triste, jamais las. Il aurait soutenu la maison sur son épaule, si la maison avait croulé. L'hiver, il disait qu'il faisait bon dans sa forge. L'été, il ouvrait la porte toute grande et laissait entrer l'odeur des foins. Quand l'été vint, à la tombée du jour, j'allais m'asseoir à côté de lui, devant la porte. On était à mi-côte ; on voyait de là toute la largeur de la vallée. Il était heureux de ce tapis immense de terres labourées, qui se perdait à l'horizon dans le lilas clair du crépuscule.

Et le Forgeron plaisantait souvent. Il disait que toutes ces terres lui appartenaient, que la forge, depuis plus de deux cents ans, fournissait des charrues à tout le pays. C'était son orgueil. Pas une moisson ne poussait sans lui. Si la plaine était verte en mai et jaune en juillet, elle lui devait cette soie changeante. Il aimait les récoltes comme ses filles, ravi des grands soleils, levant le poing contre les nuages de grêle qui crevaient. Souvent, il me montrait au loin quelque pièce de terre qui paraissait moins large que le dos de sa veste, et il me racontait en quelle année il avait forgé une charrue pour ce carré d'avoine ou de seigle. À l'époque du labour, il lâchait parfois ses marteaux ; il venait au bord de la route ; la main sur les yeux, il regardait. Il regardait la famille nombreuse de ses charrues mordre le sol, tracer leurs sillons, en face, à gauche, à droite. La vallée en était toute pleine. On eût dit, à voir les attelages filer lentement, des régiments en marche. Les socs des charrues luisaient au soleil, avec des reflets d'argent. Et lui, levait les bras, m'appelait, me criait de venir voir quelle « sacrée besogne » elles faisaient.

Toute cette ferraille retentissante qui sonnait au-dessous de moi me mettait du fer dans le sang. Cela me valait mieux que les drogues des pharmacies. J'étais accoutumé à ce vacarme, j'avais besoin de cette musique des marteaux sur l'enclume pour m'entendre vivre. Dans ma chambre tout animée par les ronflements du soufflet, j'avais retrouvé ma pauvre tête. Toc, toc – toc, toc – c'était là comme le balancier joyeux qui réglait mes heures de travail. Au plus fort de l'ouvrage, lorsque le Forgeron se fâchait, que j'entendais le fer rouge craquer sous les bonds des marteaux endiablés, j'avais une fièvre de géant dans les poignets, j'aurais voulu aplatir le monde d'un coup de ma plume. Puis, quand la forge se taisait, tout faisait silence dans mon crâne ; je descendais, et j'avais honte de ma besogne, à voir tout ce métal vaincu et fumant encore.

Ah ! que je l'ai vu superbe, parfois, le Forgeron, pendant les chaudes après-midi ! Il était nu jusqu'à la ceinture, les muscles saillants et tendus, semblable à une de ces grandes figures de Michel-Ange, qui se redressent dans un suprême effort. Je trouvais, à le regarder, la ligne sculpturale moderne, que nos artistes cherchent péniblement dans les chairs mortes de la Grèce. Il m'apparaissait comme le héros grandi du travail, l'enfant infatigable de ce siècle, qui bat sans cesse sur l'enclume l'outil de notre analyse, qui façonne dans le feu et par le fer la société de demain. Lui, jouait avec ses marteaux. Quand il voulait rire, il prenait « la Demoiselle », et, à toute volée, il tapait. Alors il faisait le tonnerre chez lui, dans le halètement rose du fourneau. Je croyais entendre le soupir du peuple à l'ouvrage.

C'est là, dans la forge, au milieu des charrues, que j'ai guéri à jamais mon mal de paresse et de doute.

LE CHÔMAGE [1]

I

Le matin, quand les ouvriers arrivent à l'atelier, ils le trouvent froid, comme noir d'une tristesse de ruine. Au fond de la grande salle, la machine est muette, avec ses bras maigres, ses roues immobiles ; et elle met là une mélancolie de plus, elle dont le souffle et le branle animent toute la maison, d'ordinaire, du battement d'un cœur de géant, rude à la besogne.

Le patron descend de son petit cabinet. Il dit d'un air triste aux ouvriers :

« Mes enfants, il n'y a pas de travail aujourd'hui... Les commandes n'arrivent plus ; de tous les côtés, je reçois des contrordres ; je vais rester avec de la marchandise sur les bras. Ce mois de décembre, sur lequel je comptais, ce mois de gros travail, les autres années, menace de ruiner les maisons les plus solides... Il faut tout suspendre. »

Et comme il voit les ouvriers se regarder entre eux avec la peur du retour au logis, la peur de la faim du lendemain, il ajoute d'un ton plus bas :

« Je ne suis pas égoïste, non, je vous le jure... Ma situation est aussi terrible, plus terrible peut-être que

1. Une première version de ce texte, nettement plus polémique et très engagée dans l'actualité politique du moment, a paru sous le titre *Le Lendemain de la crise* dans *Le Corsaire* du 22 décembre 1872. La parution de l'article de Zola entraîna d'ailleurs l'interdiction de ce quotidien républicain de l'aile radicale. *Le Chômage* est le onzième des *Nouveaux Contes à Ninon*.

la vôtre. En huit jours, j'ai perdu cinquante mille francs. J'arrête le travail aujourd'hui, pour ne pas creuser le gouffre davantage ; et je n'ai pas le premier sou de mes échéances du 15... Vous voyez, je vous parle en ami, je ne vous cache rien. Demain, peut-être, les huissiers seront ici. Ce n'est pas notre faute, n'est-ce pas ? Nous avons lutté jusqu'au bout. J'aurais voulu vous aider à passer ce mauvais moment ; mais c'est fini, je suis à terre ; je n'ai plus de pain à partager. »

Alors, il leur tend la main. Les ouvriers la lui serrent silencieusement. Et, pendant quelques minutes, ils restent là, à regarder leurs outils inutiles, les poings serrés. Les autres matins, dès le jour, les limes chantaient, les marteaux marquaient le rythme ; et tout cela semble déjà dormir dans la poussière de la faillite. C'est vingt, c'est trente familles qui ne mangeront pas la semaine suivante. Quelques femmes qui travaillaient dans la fabrique ont des larmes au bord des yeux. Les hommes veulent paraître plus fermes. Ils font les braves, ils disent qu'on ne meurt pas de faim dans Paris.

Puis, quand le patron les quitte, et qu'ils le voient s'en aller, voûté en huit jours, écrasé peut-être par un désastre plus grand encore qu'il ne l'avoue, ils se retirent un à un, étouffant dans la salle, la gorge ser-rée, le froid au cœur, comme s'ils sortaient de la chambre d'un mort. Le mort, c'est le travail, c'est la grande machine muette, dont le squelette est sinistre dans l'ombre [1].

---

1. Républicain, Zola ne pense pas la situation économique à travers l'idée de la « lutte des classes ». Le conflit entre les parti-sans du régime présidentiel et une droite monarchiste acharnée à réfuter la République affectait le milieu des affaires et le monde du travail. Zola n'oppose donc pas l'entrepreneur et l'ouvrier, qui ont des intérêts communs.

II

L'ouvrier est dehors, dans la rue, sur le pavé. Il a battu les trottoirs pendant huit jours, sans pouvoir trouver du travail. Il est allé de porte en porte, offrant ses bras, offrant ses mains, s'offrant tout entier à n'importe quelle besogne, à la plus rebutante, à la plus dure, à la plus mortelle. Toutes les portes se sont refermées.

Alors l'ouvrier a offert de travailler à moitié prix. Les portes ne se sont pas rouvertes. Il travaillerait pour rien qu'on ne pourrait le garder. C'est le chômage, le terrible chômage qui sonne le glas des mansardes. La panique a arrêté toutes les industries, et l'argent, l'argent lâche, s'est caché.

Au bout des huit jours, c'est bien fini. L'ouvrier a fait une suprême tentative, et il revient lentement, les mains vides, éreinté de misère. La pluie tombe : ce soir-là, Paris est funèbre dans la boue. Il marche sous l'averse, sans la sentir, n'entendant que sa faim, s'arrêtant pour arriver moins vite. Il s'est penché sur un parapet de la Seine ; les eaux grossies coulent avec un long bruit ; des rejaillissements d'écume blanche se déchirent à une pile du pont. Il se penche davantage, la coulée colossale passe sous lui, en lui jetant un appel furieux. Puis, il se dit que ce serait lâche, et il s'en va.

La pluie a cessé. Le gaz flamboie aux vitrines des bijoutiers. S'il crevait une vitre, il prendrait d'une poignée du pain pour des années. Les cuisines des restaurants s'allument ; et, derrière les rideaux de mousseline blanche, il aperçoit des gens qui mangent. Il hâte le pas, il remonte au faubourg, le long des rôtisseries, des charcuteries, des pâtisseries, de tout le Paris gourmand qui s'étale aux heures de la faim.

Comme la femme et la petite fille pleuraient, le matin, il leur a promis du pain pour le soir. Il n'a pas osé venir leur dire qu'il avait menti, avant la nuit tombée. Tout en marchant, il se demande comment

il entrera, ce qu'il racontera, pour leur faire prendre
patience. Ils ne peuvent pourtant rester plus longtemps sans manger. Lui essaierait bien, mais la
femme et la petite sont trop chétives.

Et, un instant, il a l'idée de mendier. Mais quand
une dame ou un monsieur passent à côté de lui, et
qu'il songe à tendre la main, son bras se raidit, sa
gorge se serre. Il reste planté sur le trottoir, tandis
que les gens comme il faut se détournent, le croyant
ivre, à voir son masque farouche d'affamé.

III

La femme de l'ouvrier est descendue sur le seuil
de la porte, laissant en haut la petite endormie. La
femme est toute maigre, avec une robe d'indienne.
Elle grelotte dans les souffles glacés de la rue.

Elle n'a plus rien au logis ; elle a tout porté au
Mont-de-Piété. Huit jours sans travail suffisent pour
vider la maison. La veille, elle a vendu chez un fripier
la dernière poignée de laine de son matelas ; le matelas s'en est allé ainsi ; maintenant, il ne reste que la
toile. Elle l'a accrochée devant la fenêtre pour empêcher l'air d'entrer, car la petite tousse beaucoup.

Sans le dire à son mari, elle a cherché de son côté.
Mais le chômage a frappé plus rudement les femmes
que les hommes. Sur son palier, il y a des malheureuses qu'elle entend sangloter pendant la nuit. Elle
en a rencontré une tout debout au coin d'un trottoir ; une autre est morte ; une autre a disparu.

Elle, heureusement, a un bon homme, un mari
qui ne boit pas. Ils seraient à l'aise, si des mortes-
saisons ne les avaient dépouillés de tout. Elle a
épuisé les crédits : elle doit au boulanger, à l'épicier,
à la fruitière, et elle n'ose plus même passer devant
les boutiques. L'après-midi, elle est allée chez sa
sœur pour emprunter vingt sous ; mais elle a trouvé,
là aussi, une telle misère qu'elle s'est mise à pleurer,
sans rien dire, et que toutes deux, sa sœur et elle,

ont pleuré longtemps ensemble. Puis, en s'en allant, elle a promis d'apporter un morceau de pain, si son mari rentrait avec quelque chose.

Le mari ne rentre pas. La pluie tombe, la femme se réfugie sous la porte ; de grosses gouttes clapotent à ses pieds, une poussière d'eau pénètre sa mince robe. Par moments, l'impatience la prend, elle sort, malgré l'averse, elle va jusqu'au bout de la rue, pour voir si elle n'aperçoit pas celui qu'elle attend, au loin, sur la chaussée. Et quand elle revient, elle est trempée ; elle passe ses mains sur ses cheveux pour les essuyer ; elle patiente encore, secouée par de courts frissons de fièvre.

Le va-et-vient des passants la coudoie. Elle se fait toute petite pour ne gêner personne. Des hommes la regardent en face ; elle sent, par moments, des haleines chaudes qui lui effleurent le cou. Tout le Paris suspect, la rue avec sa boue, ses clartés crues, ses roulements de voiture, semble vouloir la prendre et la jeter au ruisseau. Elle a faim, elle est à tout le monde. En face, il y a un boulanger, et elle pense à la petite qui dort, en haut.

Puis, quand le mari se montre enfin, filant comme un misérable le long des maisons, elle se précipite, elle le regarde anxieusement.

« Eh bien ! » balbutie-t-elle.

Lui, ne répond pas, baisse la tête. Alors, elle monte la première, pâle comme une morte.

IV

En haut, la petite ne dort pas. Elle s'est réveillée, elle songe, en face du bout de chandelle qui agonise sur un coin de la table. Et on ne sait quoi de monstrueux et de navrant passe sur la face de cette gamine de sept ans, aux traits flétris et sérieux de femme faite.

Elle est assise sur le bord du coffre qui lui sert de couche. Ses pieds nus pendent, grelottants ; ses mains de poupée maladive ramènent contre sa poitrine les chiffons qui la couvrent. Elle sent là une brûlure, un feu qu'elle voudrait éteindre. Elle songe.

Elle n'a jamais eu de jouets. Elle ne peut aller à l'école, parce qu'elle n'a pas de souliers. Plus petite, elle se rappelle que sa mère la menait au soleil. Mais cela est loin. Il a fallu déménager ; et, depuis ce temps, il lui semble qu'un grand froid a soufflé dans la maison. Alors, elle n'a plus été contente ; toujours elle a eu faim.

C'est une chose profonde dans laquelle elle descend, sans pouvoir la comprendre. Tout le monde a donc faim ? Elle a pourtant tâché de s'habituer à cela, et elle n'a pas pu. Elle pense qu'elle est trop petite, qu'il faut être grande pour savoir. Sa mère sait, sans doute, cette chose qu'on cache aux enfants. Si elle osait, elle lui demanderait qui vous met ainsi au monde pour que vous ayez faim.

Puis, c'est si laid, chez eux ! Elle regarde la fenêtre où bat la toile du matelas, les murs nus, les meubles éclopés, toute cette honte du grenier que le chômage salit de son désespoir. Dans son ignorance, elle croit avoir rêvé des chambres tièdes avec de beaux objets qui luisaient ; elle ferme les yeux pour revoir cela ; et, à travers ses paupières amincies, la lueur de la chandelle devient un grand resplendissement d'or dans lequel elle voudrait entrer. Mais le vent souffle, il vient un tel courant d'air par la fenêtre qu'elle est prise d'un accès de toux. Elle a des larmes plein les yeux.

Autrefois, elle avait peur, lorsqu'on la laissait toute seule ; maintenant, elle ne sait plus, ça lui est égal. Comme on n'a pas mangé depuis la veille, elle pense que sa mère est descendue chercher du pain. Alors, cette idée l'amuse. Elle taillera son pain en tout petits morceaux ; elle les prendra lentement, un à un. Elle jouera avec son pain.

La mère est rentrée, le père a fermé la porte. La petite leur regarde les mains à tous deux, très surprise. Et, comme ils ne disent rien, au bout d'un bon moment, elle répète sur un ton chantant :

« J'ai faim, j'ai faim. »

Le père s'est pris la tête entre les poings, dans un coin d'ombre ; il reste là, écrasé, les épaules secouées par de rudes sanglots silencieux. La mère, étouffant ses larmes, est venue recoucher la petite. Elle la couvre avec toutes les hardes du logis, elle lui dit d'être sage, de dormir. Mais l'enfant, dont le froid fait claquer les dents, et qui sent le feu de sa poitrine la brûler plus fort, devient très hardie. Elle se pend au cou de sa mère ; puis, doucement :

« Dis, maman, demande-t-elle, pourquoi donc avons-nous faim [1] ? »

---

1. Construit en un triptyque qui permet de varier les points de vue sur la misère, distillant la colère froide du narrateur-témoin, *Le Chômage* annonce évidemment certaines pages de *L'Assommoir* et de *Germinal*.

VIE DE ZOLA

1840 : le 2 avril, naissance à Paris d'Émile Zola, fils de François Zola (né Francesco Zolla à Venise en 1795), « le père adoré, noble et grand » (*dixit* Zola en 1898) [1], ingénieur spécialisé dans les travaux publics, et d'Émilie Aubert (née en 1819), « une jeune fille pauvre épousée pour sa beauté et pour son charme ».

1843 : les Zola s'installent à Aix-en-Provence. Depuis cinq ans, François Zola, « ce héros de l'énergie et du travail », met au point le projet, accepté par l'État et la municipalité, d'un canal qui alimenterait la ville en eau pendant toute l'année.

1847 : François Zola meurt, à cinquante et un ans, d'une pneumonie contractée sur le chantier du canal qui portera son nom. « Il laisse la mémoire d'une grande intelligence et d'un bienfaiteur. » Sa veuve et son fils, seulement assistés de quelques proches parents, se retrouvent néanmoins dans une situation financière très difficile. La famille orpheline mènera une vie de plus en plus précaire.

1852-1857 : après sa scolarité élémentaire, Émile Zola entre au collège Bourbon d'Aix-en-Provence (aujourd'hui lycée Mignet). C'est un bon élève, plusieurs fois primé, de tempérament plutôt sérieux et réfléchi. À son entrée en troisième (octobre 1856), il choisit la section des sciences. Intense activité de lecture personnelle, en marge de l'enseignement obligatoire : les romanciers populaires d'abord (Alexandre Dumas, Eugène Sue, Paul Féval), puis les romantiques (Hugo, Musset), pour lesquels il éprouve un grand enthou-

---

1. Cette citation ainsi que les suivantes sont extraites de « Mon père », paru dans *L'Aurore*, le 28 mai 1898 (*OC*, t. XIV, p. 1005 *sq.*).

siasme, comme la plupart des adolescents de son temps. Ses meilleurs amis sont Baille, futur savant et industriel, et Cézanne, le futur peintre. Pendant les vacances, ils parcourent ensemble la campagne aixoise, où Zola fait provision de souvenirs bucoliques radieux, qui informeront sa vision panthéiste de la nature et seront transposés dans son œuvre future, notamment les *Contes à Ninon*.

Zola écrit très tôt. Une liste des manuscrits perdus, conservée dans la famille, fait état de nombreux textes et projets, surtout poétiques, mais le jeune homme ébauche aussi des récits : romans, contes et nouvelles. Les narrations du collégien (*Retour d'Anarchasis dans sa patrie, Charles VI dans la forêt du Mans…*) attestent une bonne qualité de l'inspiration et une grande facilité de rédaction : « Elles sont toutes très lestement enlevées et se lisent comme de petites nouvelles », selon Henri Mitterand [1].

1858 : en février, Zola rejoint sa mère, qui a décidé de s'installer à Paris pour défendre ses intérêts menacés. Il entre en seconde (section des sciences), comme boursier, au lycée Saint-Louis. Vacances d'été à Aix, où il retrouve son ami Cézanne, qui a eu son baccalauréat. De retour à Paris, il tombe gravement malade (fièvre typhoïde) et sa rentrée au lycée est retardée jusqu'en janvier 1859.

1859 : Zola échoue par deux fois au baccalauréat, mais il continue à écrire. Un journal d'Aix, *La Provence*, publie trois de ses poèmes et un conte : *La Fée amoureuse*.

1860-1861 : pendant deux ans, Zola sera un jeune homme pauvre à Paris. Sans diplôme, sans emploi stable et régulier, il végète socialement mais il met à profit cette période incertaine pour affirmer sa vocation artistique et littéraire. Il lit beaucoup, les modernes (Michelet, qui l'influence profondément, George Sand, Sainte-Beuve…) et les classiques (Montaigne). Il projette déjà un volume de nouvelles, qui se serait intitulé *Contes de mai*.

1862-1866 : le 1er mars 1862, Zola entre comme employé à la Librairie Hachette, le temple de l'édition moderne, en pleine extension. Il intègre rapidement le service de

---

1. Henri Mitterand, *Zola*, t. I : *Sous le regard d'Olympia. 1840-1871*, Fayard, 1999, p. 122.

la publicité dont il deviendra directeur. Son travail consiste alors à rédiger des annonces, à composer des catalogues, à obtenir des articles dans la presse... Il est en contact avec les rédactions des journaux et avec les auteurs de la maison. Sa situation privilégiée, au cœur du marché du livre et des idées, le conduit naturellement à y prendre part comme acteur, d'abord comme journaliste littéraire et chroniqueur – il publie son premier article en 1863 – puis en tant qu'*homme de lettres*, avec des chassés-croisés du journalisme à la fiction. C'est dans ce contexte qu'il publie, en 1864, son premier livre, les *Contes à Ninon*, bien accueilli par la critique et assez bien vendu. La même année, il rencontre Gabrielle Alexandrine Meley (1839-1925), qui deviendra son épouse en 1870. En 1865, il fait paraître son deuxième livre, qui est aussi son premier roman, *La Confession de Claude*, d'inspiration autobiographique.

Le 31 janvier 1866, Zola quitte la Librairie Hachette et se consacre entièrement au journalisme et à l'écriture. Initié par sa connivence avec les peintres modernes, il renouvelle, d'une plume originale, libre et incisive, la critique d'art. Il prend en particulier la défense de Manet, dont le tableau *Olympia* avait scandalisé le public et les salonniers. En littérature aussi il se fait l'ardent défenseur de la modernité, dans une série d'articles iconoclastes et enthousiastes, qui deviendront *Mes Haines* (publié en 1866).

1867 : après des romans alimentaires et assez anodins, *Le Vœu d'une morte* et *Les Mystères de Marseille*, Zola, influencé par Taine, Balzac, les frères Goncourt, crée l'événement et le scandale avec *Thérèse Raquin*, dont la nouvelle *Un mariage d'amour* est le synopsis.

Comme beaucoup de ses confrères, Zola pratique une écriture plurielle et publie notamment de nombreuses nouvelles dans la presse parisienne, sous des rubriques variées : génériques (*Chronique, Causerie, Portraits-cartes, Variétés*), thématiques (*Dans Paris*) ou mixtes (*Esquisses parisiennes, Lettres parisiennes*).

1868-1871 : Zola mène activement sa carrière de journaliste et d'homme de lettres, au gré d'une actualité politique de plus en plus pressante et aléatoire. En 1868, il publie le dernier roman de son cycle de la femme déchue : *Madeleine Férat*. Puis, accumulant les notes de lectures (divers ouvrages scientifiques, relecture des œuvres de Balzac), les notes préparatoires et les plans généraux, et cherchant à déployer son inspiration, il conçoit une série de dix romans, pensée comme l'*Histoire d'une famille*, dont le premier tome, *La Fortune des Rougon*, paraît en 1871. Il entame la même année une carrière de chroniqueur parlementaire, de Bordeaux puis de Versailles. Pendant la Commune, il déplorera les excès des deux camps.

1872 : les ambitions du romancier s'affirment avec *La Curée*. En quête de stabilité professionnelle, Zola change d'éditeur : *Les Rougon-Macquart* deviennent la propriété de Georges Charpentier, avec qui l'écrivain se lie d'une étroite amitié. Déjà familier de Goncourt, Zola sympathise avec d'autres grands écrivains contemporains, notamment Flaubert, Tourgueniev et Alphonse Daudet. La première grande période de la carrière de Zola – dix années de labeur têtu et d'expériences d'écriture variées – montre comment le jeune homme d'abord déclassé s'est obstiné pour devenir un *self-made man* de la littérature, reconnu par ses pairs. Pour les hommes proches du pouvoir politique, en revanche, et pour les tenants de la morale bourgeoise, bien-pensante, il apparaît comme un agitateur et un écrivain obscène.

1873-1874 : l'écrivain est bien lancé dans son entreprise romanesque de longue haleine. Il écrit tous les jours. Il a mis au point sa méthode : il prend des notes très libres sur le terrain, à la fois comme un peintre, un *reporter* et un sociologue, puis se documente, en accumulant les lectures et les renseignements. Il se lance ensuite dans un ample travail d'organisation et de création, sur la base du dossier préparatoire, qui inclut l'ébauche du roman en cours, des fiches et des plans. *Le Ventre de Paris* paraît en 1873, *La Conquête de Plassans* en 1874. Zola, comme la plupart des romanciers de son temps, lorgne aussi du côté du théâtre – avec, en 1873, une adaptation de *Thérèse Raquin* –, mais il ne parvient qu'à rejoindre le groupe des « auteurs sifflés », Flaubert, Goncourt, Daudet, Tourgueniev, qui se désignent ainsi par auto-ironie. Il faut dire que le théâtre du temps est essentiellement distrayant et conformiste, comme Zola le remarque lucidement dans sa critique dramatique, qui lui sert de tribune pour ses idées de rénovation du champ littéraire.

Le 9 novembre 1874 paraissent les *Nouveaux Contes à Ninon*, dans le sillage voulu d'une réédition du premier volume de 1864. Zola a rassemblé en recueil, pour l'essentiel, des textes courts, parus souvent plusieurs fois dans la presse, entre 1866 et 1874.

1875-1876 : grâce à l'intercession de Tourgueniev (1818-1883), Zola entame en 1875 une collaboration régulière avec *Le Messager de l'Europe*, grande revue russe francophile, dans laquelle paraîtront jusqu'en décembre 1880 soixante-quatre textes, des « Lettres de Paris » alternant critique littéraire (majoritairement), études sociales et culturelles, et fiction, essentiellement des nouvelles. *Les Rougon-Macquart* se poursuivent, avec *La Faute de l'abbé Mouret* (1875) et *Son Excellence Eugène Rougon* (1876). La même année, début de la publication de *L'Assommoir* en feuilleton dans la presse. Zola commence à rencontrer de jeunes écrivains (notamment Huysmans) et fait figure de chef de file. Pour lui, « les écrivains naturalistes sont ceux dont la méthode d'étude serre la nature et l'humanité du plus près possible, tout en laissant, bien entendu, le tempérament particulier de l'observateur libre de se manifester ensuite dans les œuvres comme bon lui semble [1] ».

1877-1881 : triomphe de *L'Assommoir* (1877). C'est en même temps un énorme scandale, « la bataille d'*Hernani* du roman », comme dit Henri Mitterand [2]. Après la note adoucie d'*Une page d'amour* (1878), le scandale reprend de plus belle avec *Nana* (1879). Mais Zola ne craint pas de s'imposer. Avec le recueil de nouvelles des *Soirées de Médan* (paru chez Charpentier en avril 1880), lui et ses amis (Maupassant, Huysmans, Céard, Hennique, Alexis) accréditent le mythe de l'école littéraire triomphante. Médan est un village de bord de Seine, situé entre Poissy et Meulan, à vingt-trois kilomètres à vol d'oiseau des portes de Paris. Grâce à ses gains, Zola y a acquis une maison [3], qu'il transformera progressivement en une grande et belle propriété, dans laquelle il s'établira pour écrire ses romans au calme. À côté des

---

1. *Le Bien public*, 30 octobre 1876.

2. Henri Mitterand, *Zola*, t. II : *L'Homme de Germinal. 1871-1893*, Fayard, 2001, p. 309.

3. Cette maison est aujourd'hui le musée Zola et le lieu d'un pèlerinage littéraire annuel, chaque premier dimanche d'octobre.

Rougon-Macquart, il poursuit son travail de critique littéraire pour *Le Messager de l'Europe* et la presse parisienne,
en prenant de plus en plus de hauteur. Le *naturalisme*
est maintenant brandi par Zola comme une méthode de
pensée issue des sciences, et irrésistiblement élargie à
tous les domaines de la création, de la morale et de
l'action. L'homme de lettres militant publie en 1880-
1881 ses principaux articles dans des ouvrages qui
accentuent la dimension doctrinale de sa pensée (*Le
Roman expérimental* notamment) et fait ses adieux à la
presse, après une virulente « campagne » d'un an au
Figaro, conçue et perçue comme un affront au camp
républicain. À quarante ans, l'écrivain est en pleine pos-
session de ses moyens et il a acquis une renommée internationale. *Le Messager de l'Europe* accueille ainsi de
longues nouvelles qui seront ensuite rassemblées dans
les recueils *Le Capitaine Burle* (1882) et *Naïs Micoulin*
(1884).

1882-1887 : publication de la première biographie de Zola
(en 1882, par son ami Paul Alexis) qui le consacre
homme célèbre. L'écrivain, au faîte de sa carrière, est
au centre d'un imposant réseau d'amitiés et de relations
professionnelles. Ses œuvres ont en outre de plus en
plus de succès à l'étranger (Allemagne, Italie, Espagne,
Angleterre, pays du Nord, Russie). Il négocie les traduc-
tions et tente de préserver ses droits pour lutter contre
le piratage. *Les Rougon-Macquart* se déploient souverainement au rythme d'un roman par an, en respectant
une loi des contrastes : *Pot-Bouille* (1882) est une vio-
lente satire de la bourgeoisie, *Au bonheur des dames*
(1883) sera « le poème de l'activité moderne » et *La Joie
de vivre* (1884) un roman sur la douleur et la consolation, plus intimiste. En 1885, Zola retrouve la grande
puissance, par la combinaison narrative de l'analyse
sociale, du reportage (les *Notes sur Anzin*) et du mythe,
et c'est le succès de *Germinal*. En 1886 paraît son roman
sur « le monde artistique », *L'Œuvre*, aux accents très
personnels. Avec *La Terre*, en 1887, Zola, dans la lignée
de ses nouvelles sur le monde paysan (*L'Inondation* et
La Mort du paysan), substitue aux clichés du roman rus-
tique « le poème vivant de la terre », ample et violent.

1888-1893 : à partir de 1888, Zola, à près de cinquante
ans, commence une deuxième vie affective avec sa maîtresse, Jeanne Rozerot, qui lui donnera deux enfants,

Denise, née en 1889, et Jacques, né en 1891, l'année où Alexandrine apprend la liaison de son mari. Ce seront ensuite des années de crise dont le couple sortira meurtri mais sans que soit remis en cause un mode de vie « bourgeois », profitable à la création continue de l'artiste. En 1888, Zola retrouve l'inspiration de ses premiers contes de fées avec *Le Rêve*, qui est aussi le second roman d'église dans le cycle des *Rougon-Macquart*. La même année, il rencontre le jeune musicien Alfred Bruneau, avec qui il écrira des drames lyriques. Nommé chevalier de la Légion d'honneur le 14 juillet 1888, l'écrivain pose sa candidature à l'Académie française. Il n'y sera jamais admis, malgré ses nombreuses tentatives. Il sera en revanche élu président de la Société des gens de lettres en 1892. Son action en faveur des droits des auteurs sera réelle et efficace. Le cycle des *Rougon-Macquart* va vers son achèvement avec des romans de grande envergure : *La Bête humaine* (1890), *L'Argent* (1891) et *La Débâcle* (1892). *Le Docteur Pascal*, en 1893, met un terme à la saga. L'œuvre, qui est une méditation sur les limites de la science, s'ouvre sur l'inconnu et annonce l'attrait du prophétisme.

1894-1902 : en 1893, Zola, qui se sent plein de force, a entamé un nouveau cycle romanesque : *Les Trois Villes*, pour lequel il mènera de nombreuses enquêtes et d'inlassables travaux préparatoires. *Lourdes* paraît en 1894, *Rome* en 1896, *Paris* en 1898. La figure centrale de ce cycle de romans à thèse est Pierre Froment, un jeune prêtre qui perd la foi et adhère finalement aux valeurs de son temps. L'inspiration de Zola, à cette époque, ne se limite pas aux seuls romans. Il se lance dans la composition de nouveaux drames lyriques, en collaboration avec le musicien Alfred Bruneau. Après *L'Attaque du moulin*, adapté de sa nouvelle de 1877 reprise dans *Les Soirées de Médan*, seront représentés *Messidor* (1897) et *L'Ouragan* (1901). *Violaine la chevelue*, une féerie proche par son thème narratif du très ancien *Simplice*, et prête en 1896, ne sera pas représentée.

Loin d'être indifférent à l'actualité, il tâte à nouveau du journalisme pour une *Nouvelle Campagne* tonitruante dans *Le Figaro*, entre le 1er décembre 1895 et le 13 juin 1896, mais cette fois avec le statut d'un véritable maître à penser. C'est ce prestige et les valeurs qu'il incarne qui incitent le journaliste Bernard-Lazare, auteur d'une brochure intitulée *Une erreur judiciaire. La vérité sur l'affaire Dreyfus*, à venir vers lui. Zola entrera en scène en 1897 en publiant dans la presse des articles retentissants pour dénoncer ce qu'il a reconnu comme une infamie. Sa campagne en faveur de Dreyfus prend un tour décisif en 1898 avec sa retentissante « Lettre au président de la République », « J'accuse… », publiée dans *L'Aurore*. Le ministère de la Guerre lui intente un procès et il est condamné à un an de prison et 3 000 francs d'amende. Après un nouveau procès et une nouvelle condamnation, Zola s'exile en Angleterre. En 1899, le procès de Dreyfus devant être révisé, Zola regagne la France, le 5 juin. C'est aussi le début d'une nouvelle série romanesque, *Les Quatre Évangiles*, avec *Fécondité*. En 1900, Zola est acquitté dans son dernier procès. Il rencontre pour la première fois Alfred Dreyfus, qui vient d'arriver à Paris. En 1901, les associations ouvrières offrent un banquet à Zola, en l'honneur de son roman *Travail*. En 1902, paraît *Vérité*.

Le 28 septembre, les Zola reviennent à Paris après avoir passé l'été à Médan. Dans la nuit, le romancier meurt par asphyxie, la cheminée de la chambre tirant mal. L'accident est le résultat d'un acte de malveillance (la cheminée a été bouchée par un antidreyfusard). Mme Zola est sauvée. Les obsèques de l'écrivain sont célébrées le 5 octobre. L'écrivain Anatole France prononce l'oraison funèbre au nom de l'Académie française. Zola laisse inachevé le quatrième *Évangile, Justice*.

CHRONOLOGIE DES CONTES
ET NOUVELLES DE ZOLA [1]

L'inventaire qui suit a une visée exhaustive. Sont indiquées : la date (probable ou attestée) de composition, les publications dans la presse ou l'édition, l'appartenance à un recueil constitué par Zola. Les titres en gras signalent les textes que nous avons retenus pour cette édition en deux volumes [2]. Tous les autres sont accessibles dans l'édition savante, établie par Roger Ripoll, des *Contes et nouvelles* [3], qui recense de nombreuses variantes parfois apportées par Zola à ses versions originales.

1. D'après la « Chronologie des contes et nouvelles » établie par Henri Mitterand, *OC*, t. IX, p. 1193-1199.

2. Zola, *Contes et nouvelles (1864-1874)* et *Contes et nouvelles (1875-1899)*, GF-Flammarion, 2008.

3. Gallimard, « Bibliothèque de la Pléiade », 1976.

	DATE DE COMPOSITION	PUBLICATIONS DANS LA PRESSE OU L'ÉDITION	RECUEIL
La Fée amoureuse	Décembre 1859	*La Provence* (Aix), 29 décembre 1859 et 26 janvier 1860	*Contes à Ninon*
Un coup de vent	Été 1860		
Le Carnet de danse	1860, terminé en août 1862	*Le Petit Journal*, 6 novembre 1864 (extrait)	*Contes à Ninon*
Le Sang	Août-septembre 1862	*Revue du mois* (Lille), 25 août 1863	*Contes à Ninon*
Les Voleurs et l'âne	Août-septembre 1862		*Contes à Ninon*
Simplice	1862	*Revue du mois* (Lille), 25 octobre 1863 *Nouvelle Revue de Paris*, octobre 1864	*Contes à Ninon*
Celle qui m'aime	1863	*L'Entracte*, novembre 1864	*Contes à Ninon*
Sœur-des-Pauvres	1863	*Le Figaro*, 15 juillet 1877	*Contes à Ninon*
Aventures du grand Sidoine et du petit Médéric	Fin 1863 ou début 1864		*Contes à Ninon*
À Ninon	1er octobre 1864		*Contes à Ninon* (préface)

Réflexions et menus propos d'un sourd-muet, aveugle de naissance	Début 1865		
Les Étrennes de la mendiante	Janvier 1865	*Le Petit Journal*, 21 janvier 1865	
[Le Vieux Cheval]	Janvier 1865	*Le Petit Journal*, 26 janvier 1865	
Un mariage russe	Février 1865	*Le Petit Journal*, 6 février 1865	
Les Bals publics	Février 1865	*Le Petit Journal*, 13 février 1865 *Le Figaro*, 29 décembre 1866 *La Tribune*, 24 janvier 1869 *La Cloche*, 7 juillet 1872	
L'Amour sous les toits	Mars 1865	*Le Petit Journal* (titre : *La Grisette*), 13 mars 1865	*Esquisses parisiennes*
Le Lecteur du Petit Journal	Avril 1865	*Le Petit Journal*, 10 avril 1865	
Villégiature	Avril 1865	*Le Petit Journal*, 1er mai 1865 (titre : *Le Boutiquier campagnard*) *L'Evénement illustré*, 1er août 1868 *Revue moderne et naturaliste*, septembre 1880	
Une malade	Mai 1865	*Le Petit Journal*, 1er juin 1865 *L'Evénement illustré*, 3 août 1868	
La Vierge au cirage	Septembre 1865	*La Vie parisienne*, 16 septembre 1865 (titre : *La Caque*) *Le Grand Journal*, 8 octobre 1865 *La Cloche*, 11 octobre 1872	*Esquisses parisiennes*

	DATE DE COMPOSITION	PUBLICATIONS DANS LA PRESSE OU L'ÉDITION	RECUEIL
Les Veuves	Septembre 1865	*Le Figaro*, 24 septembre 1865 *Journal pour tous*, 22 août 1894	
Une leçon	Octobre 1865	*Le Figaro*, 5 octobre 1865	
Les Vieilles aux yeux bleus	Octobre 1865	*Le Grand Journal*, 5 novembre 1865	*Esquisses parisiennes*
Mon voisin Jacques	Novembre 1865	*Journal des villes et des campagnes*, 21 novembre 1865 (titre : *Un souvenir du printemps de ma vie*) *L'Événement*, 3 novembre 1866 (titre : *Un croquemort*) *La Tribune*, 10 octobre 1869 *La Cloche*, 24 juin 1872	*Nouveaux Contes à Ninon*
Les Repoussoirs	1865	*La Voie nouvelle* (Marseille), 15 mars 1866	*Esquisses parisiennes*
Printemps (Journal d'un convalescent)	1866 ?		
Une victime de la réclame	Novembre 1866	*L'Illustration*, 17 novembre 1866 *L'Événement illustré*, 29 août 1868 (titre : *Une victime des annonces*) *La Tribune*, 12 décembre 1869 *La Cloche*, 29 juin 1872	

Souvenir VIII	Novembre 1866	*Le Figaro*, 20 novembre 1866 (titre : *Les Violettes*) *La Tribune*, 17 octobre 1869 *La Cloche*, 18 août 1872	*Nouveaux Contes à Ninon*
La Journée d'un chien errant	Novembre 1866	*Le Figaro*, 1er décembre 1866 *La Tribune*, 1er novembre 1868 (titre : *Le Paradis des chats*) *La Cloche*, 12 juin 1872 *Le Figaro*, 28 juillet 1878	*Nouveaux Contes à Ninon* (titre : *Le Paradis des chats*)
Les Quatre Journées de Jean Gourdon	Entre octobre et décembre 1866	*L'Illustration*, du 15 décembre au 16 février 1867	*Nouveaux Contes à Ninon*
Un mariage d'amour	Décembre 1866	*Le Figaro*, 24 décembre 1866	
La Neige	Décembre 1866	*Le Figaro*, 17 janvier 1867 *Revue moderne et naturaliste*, janvier 1880	
Les Disparitions mystérieuses	Février 1867	*Le Figaro*, 20 février 1867	
Souvenir VII	Mai 1867	*Le Figaro*, 15 mai 1867 (titre : *Les Nids*) *La Tribune*, 21 novembre 1869 *La Cloche*, 17 mai 1872	*Nouveaux Contes à Ninon*
Les Squares	Juin 1867	*Le Figaro*, 18 juin 1867 *La Tribune*, 24 octobre 1869 *La Cloche*, 26 mai 1872	

	DATE DE COMPOSITION	PUBLICATIONS DANS LA PRESSE OU L'ÉDITION	RECUEIL
Une cage de bêtes féroces	Août 1867	La Rue, 31 août 1867	
Un suicide	Plan : printemps 1867 ; puis début 1868		
Souvenir VI (2e partie)	Avril 1868	L'Événement illustré, 4 mai 1868 (titre : La Tombe de Musset) La Tribune, 7 novembre 1869 La Cloche, 7 juin 1872	Nouveaux Contes à Ninon
Souvenir X	Mai 1868	L'Événement illustré, 23 mai 1868 La Tribune, 2 janvier 1870 La Cloche, 27 mai 1872	Nouveaux Contes à Ninon
[Les Fêtes de Jeanne d'Arc à Orléans]	Mai 1868	L'Événement illustré, 13 mai 1868	
[Le Fiacre]	Mai 1868	L'Événement illustré, 27 mai 1868	
Les Fraises	Mai 1868	L'Événement illustré, 2 juin 1868 La Tribune, 9 janvier 1870 La Cloche, 3 juin 1872	Nouveaux Contes à Ninon

Histoire d'un fou	Mai 1868	*L'Événement illustré*, 8 juin 1868 *La Tribune*, 26 décembre 1869 *La Cloche*, 17 juin 1872	
Lili (2e et 3e parties)	Juin 1868	*L'Événement illustré*, 15 juin 1868 (titre : *Aux Tuileries*) *La Tribune*, 14 novembre 1869 *La Cloche*, 13 mai 1872	*Nouveaux Contes à Ninon*
[Une promenade en canot sur la Seine]	Juin 1868	*L'Événement illustré*, 17 juin 1868 *La Tribune*, 28 juin 1868 *La Cloche*, 26 juin 1872	
Souvenir V	Juin 1868	*L'Événement illustré*, 22 juin 1868 (titre : *Mes chattes*) *La Cloche*, 5 juillet 1872	*Nouveaux Contes à Ninon*
[Le Brocanteur du quai Saint-Paul]	Juin 1868	*L'Événement illustré*, 24 juin 1868 *La Cloche*, 14 mars 1870 (titre : *Vieilles Ferrailles*)	
Le Monstre aux mille sourires	Juin 1868	*L'Événement illustré*, 29 juin 1868	
Le Centenaire	Juillet 1868	*L'Événement illustré*, 13 juillet 1868 *La Cloche*, 25 septembre 1872	
Les Pierrots du Jardin des Plantes	Juillet 1868	*L'Événement illustré*, 8 août 1868	

	DATE DE COMPOSITION	PUBLICATIONS DANS LA PRESSE OU L'ÉDITION	RECUEIL
La Légende du Petit Manteau bleu de l'amour	Août 1868	*L'Événement illustré*, 11 août 1868 (titre : *La Vierge aux baisers. Légende dédiée à ces dames*) *La Tribune*, 9 janvier 1870 *La Cloche*, 17 juillet 1872	*Nouveaux Contes à Ninon*
Souvenir IV	Août 1868	*L'Événement illustré*, 1ᵉʳ septembre 1868 *La Tribune*, 12 septembre 1869 *La Cloche*, 14 août 1872	*Nouveaux Contes à Ninon*
Lili (1ʳᵉ partie)	Septembre 1868	*La Tribune*, 27 septembre 1868 *La Cloche*, 8 juillet 1872	*Nouveaux Contes à Ninon*
Au couvent	Janvier 1870	*La Cloche*, 2 février 1870 *La Libre Pensée*, 5 février 1870	
À quoi rêvent les pauvres filles	Janvier 1870	*Le Rappel*, 3 février 1870	
Les Épaules de la marquise	Février 1870	*La Cloche*, 21 février 1870	*Nouveaux Contes à Ninon*
Le Grand Michu	Février 1870	*La Cloche*, 1ᵉʳ mars 1870	*Nouveaux Contes à Ninon*
Le Jeûne	Mars 1870	*La Cloche*, 29 mars 1870 *La Libre Pensée*, 9 et 16 avril 1870 (titre : *Le Sermon*)	*Nouveaux Contes à Ninon*

Ce que disent les bois	Avril 1870	La Cloche, 12 avril 1870	
Catherine	Avril 1870	La Cloche, 18 avril 1870	
La Petite Chapelle	Mai 1870	La Cloche, 23 mai 1870	
Souvenir XII	Juillet 1870	La Cloche, 11 juillet 1870 (1re partie, titre : La Guerre) La Cloche, 18 juillet 1870 (2e partie, titre : Chauvin)	Nouveaux Contes à Ninon
Le Petit Village	Entre le 20 et le 23 juillet 1870	La Cloche, 25 juillet 1870	Nouveaux Contes à Ninon
Souvenir XIV	26 avril 1871 et 4 mai 1871	Le Sémaphore de Marseille, 2 mai 1871 (1re partie) Le Sémaphore de Marseille, 9 mai 1871 (2e partie)	Nouveaux Contes à Ninon
Les Regrets de la marquise	Septembre 1871	La Cloche, 2 octobre 1871	
Souvenir XIII	Mai 1872	La Cloche, 11 mai 1872	Nouveaux Contes à Ninon
Souvenir II	Mai 1872	La Cloche, 1er juin 1872	Nouveaux Contes à Ninon
Souvenir I	Mai 1872	La Cloche, 2 juin 1872 Revue du monde nouveau, mars 1874 (titre : Villégiature)	Nouveaux Contes à Ninon
Souvenir XI	Juin 1872	La Cloche, 9 juin 1872	Nouveaux Contes à Ninon
Souvenir III	Juin 1872	La Cloche, 20 juin 1872	Nouveaux Contes à Ninon

	DATE DE COMPOSITION	PUBLICATIONS DANS LA PRESSE OU L'ÉDITION	RECUEIL
Souvenir VI (1re partie)	Juin 1872	*La Cloche*, 27 juin 1872	*Nouveaux Contes à Ninon*
Souvenir IX	Septembre 1872	*La Cloche*, 11 septembre 1872	*Nouveaux Contes à Ninon*
Le Chômage	Décembre 1872	*Le Corsaire*, 22 décembre 1872 (titre : *Le Lendemain de la crise*)	*Nouveaux Contes à Ninon*
Un bain	Août 1873	*La Renaissance littéraire et artistique*, 24 août 1873	*Nouveaux Contes à Ninon*
Le Forgeron	Début 1874	*L'Almanach des travailleurs*, 1874	*Nouveaux Contes à Ninon*
À Ninon	1er octobre 1874		*Nouveaux Contes à Ninon* (préface)
[La Semaine d'une Parisienne]	Avril 1875	*Le Messager de l'Europe*, mai 1875 (titre : *Paris en avril*)	
L'Inondation	Juillet 1875	*Le Messager de l'Europe*, août 1875 *Le Voltaire*, du 26 au 31 août 1880	*Le Capitaine Burle*
Comment on se marie	Décembre 1875	*Le Messager de l'Europe*, janvier 1876 (titre : *Le Mariage en France et ses principaux types*) *Journal pour tous*, du 4 au 25 janvier 1893 Dernier chapitre reproduit dans *En pique-nique*, recueil collectif, Armand Colin, 1895	

Comment on meurt	Juillet 1876	*Le Messager de l'Europe*, août 1876 (titre : *Comment on meurt et comment on enterre en France*) / *Le Figaro*, 1er août 1881 (I, titre : *La Mort du riche*) / *Le Figaro*, 31 janvier 1881 (IV, titre : *Misère*) / *Le Figaro*, 20 juin 1881 (V, titre : *La Mort du paysan*) / *Le Nouveau Décaméron. Cinquième journée. La Rue et la route*, 1885 (V, titre : *La Mort d'un paysan*) / *Les Annales politiques et littéraires*, 25 octobre 1885 (V, titre : *La Mort du paysan*) / *Revue illustrée*, décembre 1895 (V, titre : *La Mort du paysan*)	*Le Capitaine Burle*
Les Coquillages de Monsieur Chabre	Août 1876	*Le Messager de l'Europe*, septembre 1876 (titre : *Bains de mer en France*) / *Le Figaro*, 4 juillet 1881 (IV, titre : *La Pêche aux crevettes*)	*Naïs Micoulin*
Pour une nuit d'amour	Septembre 1876	*Le Messager de l'Europe*, octobre 1876 (titre : *Un drame dans une petite ville de province*)	*Le Capitaine Burle*
[Portraits de prêtres]	Décembre 1876	*Le Messager de l'Europe*, janvier 1877 (titre : *Types d'ecclésiastiques français*) / *Le Bien public*, du 6 août au 3 septembre 1877	
Les Trois Guerres	Mai 1877	*Le Messager de l'Europe*, juin 1877 (titre : *Mes souvenirs de guerre*) / *Le Bien public*, du 10 au 24 septembre 1877 / *Les Annales politiques et littéraires*, février-mars 1877 (titre : *Souvenirs de jeunesse. Trois guerres*) / *Bagatelles*, Dentu, 1892 (titre : *Les Trois Guerres*)	

	DATE DE COMPOSITION	PUBLICATIONS DANS LA PRESSE OU L'ÉDITION	RECUEIL
L'Attaque du moulin	Juin 1877	*Le Messager de l'Europe*, juillet 1877 (titre : *Un épisode de l'invasion de 1870*) *La Réforme*, 15 août 1878 *Le Figaro*, 25 avril 1880 *La Vie populaire*, 25 avril et 2 mai 1880 *Les Soirées de Médan*, Charpentier, 1880	*Les Soirées de Médan*
Naïs Micoulin	Août 1877	*Le Messager de l'Europe*, septembre 1877 *La Réforme*, du 15 décembre 1879 au 15 janvier 1880	*Naïs Micoulin*
[Les Parisiens en villégiature]	Octobre 1877	*Le Messager de l'Europe*, novembre 1877 (titre : *Le Parisien en villégiature et à la campagne*) *Le Figaro illustré*, 1884-1885 (II, titre : *Voyage circulaire*) *Anthologie contemporaine des écrivains français et belges*, Bruxelles et Paris, 1888 (V, titre : *Une farce*) *Les Types de Paris*, Plon et Nourrit, 1889 (V, titre : *Bohèmes en villégiature*) *Le Petit Journal*, 31 décembre 1892 (V, titre : *Une farce*)	
[Scènes d'élections]	Novembre 1877	*Le Messager de l'Europe*, décembre 1877 (titre : *Scènes d'élection en France*)	
Aux champs	Juillet 1878	*Le Messager de l'Europe*, août 1878 (titre : *Les Environs de Paris*) *Le Figaro*, 18 octobre 1880 (*La Rivière*, titre : *Dans l'herbe*) *Le Figaro*, 2 mai 1881 (*Le Bois*, titre : *Printemps*) *Le Figaro*, 25 juillet 1881 (*La Banlieue*, titre : *Aux champs*)	*Le Capitaine Burle*

Nantas	Septembre 1878	*Le Messager de l'Europe*, octobre 1878 (titre : *La Vie contemporaine*) *Le Voltaire*, du 19 au 26 juillet 1879	*Naïs Micoulin*
La Mort d'Olivier Bécaille	Février 1879	*Le Messager de l'Europe*, mars 1879 *Le Voltaire*, du 30 avril au 5 mai 1879	*Naïs Micoulin*
Madame Neigeon	Mai 1879	*Le Messager de l'Europe*, juin 1879 (titre : *Une parisienne*)	*Naïs Micoulin*
La Fête à Coqueville	Juillet 1879	*Le Messager de l'Europe*, août 1879 *Le Voltaire*, du 12 au 18 mai 1880	*Le Capitaine Burle*
Madame Sourdis	Mars 1880	*Le Messager de l'Europe*, avril 1880 *La Grande Revue*, 1er mai 1900	
Jacques Damour	Juillet 1880	*Le Messager de l'Europe*, août 1880 *Le Figaro*, du 27 avril au 2 mai 1883	*Naïs Micoulin*
Le Capitaine Burle	Novembre 1880	*Le Messager de l'Europe*, décembre 1880 (titre : *Un duel*) *La Vie moderne*, du 19 février au 5 mars 1881 *Le Rabelais*, du 25 septembre au 16 octobre 1882	*Le Capitaine Burle*
Théâtre de campagne	Avant juin 1884	*Revue indépendante*, juin 1884	
Angeline	Décembre 1898	*The Star*, 16 janvier 1899 *Le Petit Bleu de Paris*, 4 février 1899	

COMPOSITION DES RECUEILS
DE NOUVELLES PUBLIÉS PAR ZOLA

CONTES À NINON (1864)

À Ninon (préface). – *Simplice*. – *Le Carnet de danse*. – *Celle qui m'aime*. – *La Fée amoureuse*. – *Le Sang*. – *Les Voleurs et l'âne*. – *Sœur-des-Pauvres*. – *Aventures du grand Sidoine et du petit Médéric*.

ESQUISSES PARISIENNES (1866)

La Vierge au cirage. – *Les Vieilles aux yeux bleus*. – *Les Repoussoirs*. – *L'Amour sous les toits*.

NOUVEAUX CONTES À NINON (1874)

À Ninon (préface). – *Un bain*. – *Les Fraises*. – *Le Grand Michu*. – *Le Jeûne*. – *Les Épaules de la marquise*. – *Mon voisin Jacques*. – *Le Paradis des chats*. – *Lili*. – *La Légende du Petit Manteau bleu de l'amour*. – *Le Forgeron*. – *Le Chômage*. – *Le Petit Village*. – *Souvenirs (I à XIV)*. – *Les Quatre Journées de Jean Gourdon*.

LE CAPITAINE BURLE (1882)

Le Capitaine Burle. – Comment on meurt. – Pour une nuit d'amour. – Aux champs. – La Fête à Coqueville. – L'Inondation.

NAÏS MICOULIN (1884)

Naïs Micoulin. – Nantas. – La Mort d'Olivier Bécaille. – Madame Neigeon. – Les Coquillages de Monsieur Chabre. – Jacques Damour.

BIBLIOGRAPHIE

Pour toute recherche sur Zola, on utilisera les répertoires de David Baguley : *Bibliographie de la critique sur Émile Zola*, vol. 1 : 1864-1970, vol. 2 : 1971-1980, University of Toronto Press (1976 et 1982). Pour la période postérieure à 1981, la bibliographie est présentée annuellement par David Baguley dans *Les Cahiers naturalistes*, revue de la Société littéraire des amis de Zola (http ://www.cahiers-naturalistes.com). Elle est accessible *via* ce site sur Internet.

Nos références aux œuvres de Zola renvoient d'une part à l'édition Henri Mitterand des *Œuvres complètes* au Cercle du Livre précieux, en 15 tomes, de 1966 à 1970 (abrégée en *OC*, suivi du numéro du tome), et à l'édition des *Rougon-Macquart* en cinq tomes, publiés chez Gallimard, « Bibliothèque de la Pléiade », 1960-1967 (édition présentée par Armand Lanoux et établie par Henri Mitterand).

OUVRAGES GÉNÉRAUX

Sur Zola et le naturalisme

Paul ALEXIS, *Émile Zola. Notes d'un ami*, Charpentier, 1882. [La première biographie de l'écrivain, rédigée avec son accord par son ami le plus proche, est une instructive présentation « en direct ». L'ouvrage est accessible sur Internet.]

David BAGULEY, *Le Naturalisme et ses genres*, Nathan, « Le Texte à l'œuvre », 1995. [Dans cet ouvrage, l'auteur montre que le naturalisme, loin d'être une représentation directe de la réalité, exploite abondamment les ressources des genres, des textes, des modèles littéraires.]

Colette BECKER, Gina GOURDIN-SERVENIÈRE et Véronique LAVIELLE, *Dictionnaire d'Émile Zola*, Robert Laffont, « Bouquins », 1993. [Cet ouvrage de 700 pages, très complet, est un précieux outil de travail.]

Jean BORIE, *Zola et les mythes ou De la nausée au salut*, Seuil, 1971 ; rééd. LGF, Le Livre de poche, « Biblio Essais », 2003. [L'ouvrage qui explore le mieux les obsessions de l'imaginaire zolien, selon une grille psychanalytique. Une lecture toujours rafraîchissante.]

Jacques DUBOIS, *Les Romanciers du réel*, Seuil, « Points », 2000. [Voir le chapitre consacré à Zola, p. 230-249.]

Henri MITTERAND, *Zola journaliste*, Armand Colin, « Kiosque », 1962.

–, *Zola*, Fayard, 1999-2002, 3 tomes ; t. I : *Sous le regard d'Olympia. 1840-1871*, 1999 ; t. II : *L'Homme de Germinal. 1871-1893*, 2001 ; t. III : *L'Honneur. 1893-1902*, 2002. [La biographie de référence sur Zola, par un spécialiste qui a joué un rôle majeur dans le développement des études zoliennes depuis les années 1960.]

–, *Zola et le naturalisme*, PUF, « Que sais-je ? », 2002 (1re éd. 1986).

François-Marie MOURAD, *Zola critique littéraire*, Honoré Champion, « Romantisme et modernités », 2002. [Les choix et les projets de l'écrivain sont à mettre en relation avec sa longue carrière de critique, qui témoigne d'une connaissance précise des tendances littéraires en vigueur et qui a permis de nourrir et de formuler, dès le début des années 1860, une conception originale de la création artistique, aujourd'hui à redécouvrir.]

Alain PAGÈS, *Émile Zola. Bilan critique*, Nathan Université, « 128 », 1993. [L'ouvrage, partiellement rédigé dans l'esprit d'un « état présent », est aujourd'hui un peu ancien, mais il peut encore rendre service.]

Alain PAGÈS et Owen MORGAN, *Guide Émile Zola*, Ellipses, 2002. [Ce guide propose successivement une analyse biographique, une étude littéraire de l'œuvre et une exploration de son destin sous le regard de la postérité.]

Roger RIPOLL, *Réalité et mythe chez Zola*, Lille, Atelier national de reproduction des thèses/Honoré Champion, 1981, 2 tomes.

Sur le conte et la nouvelle

Walter BENJAMIN, « Le conteur. Réflexions sur l'œuvre de Nicolas Leskov », in *Œuvres*, III, Gallimard, « Folio », p. 114-151.

Pierre-Georges CASTEX, *Le Conte fantastique en France, de Nodier à Maupassant*, José Corti, 1951.

René GODENNE, *La Nouvelle française*, PUF, 1974.

Florence GOYET, *La Nouvelle. 1870-1925*, PUF, 1993.

Daniel GROJNOWSKI, *Lire la nouvelle*, Nathan Université, « Lettres Sup », 2000.

Thierry OZWALD, *La Nouvelle*, Hachette Supérieur, 1996.

Daniel SANGSUE, « Le conte et la nouvelle au XIXe siècle », in *Histoire littéraire de la France*, t. III : *Modernités XIXe-XXe siècle*, volume dirigé par Patrick Berthier et Michel Jarrety, PUF, « Quadrige/Dicos poche », 2006, p. 90-113.

ÉDITIONS DES CONTES ET NOUVELLES DE ZOLA

L'édition de référence est celle de Roger Ripoll : Émile Zola, *Contes et nouvelles*, Gallimard, « Bibliothèque de la Pléiade », 1976.

Dans les *Œuvres complètes* du Cercle du Livre précieux (édition épuisée, mais fréquemment disponible en bibliothèque universitaire), établies sous la direction d'Henri Mitterand entre 1966 et 1970, le tome IX (1968) est consacré aux *Contes et nouvelles*, avec des préfaces de Jean-Jacques Brochier, Jacques Joly, Henri Mitterand, Roger Ripoll et André Stil, des notices et des notes d'Henri Mitterand.

Un autre éditeur, Nouveau Monde, s'est lancé dans la publication des *Œuvres complètes d'Émile Zola*, toujours sous la direction scientifique d'Henri Mitterand. Le principe retenu est celui de l'ordre chronologique. Quatorze tomes sont déjà parus, depuis 2002. On trouvera des contes et des nouvelles dans les tomes I, II, III, VI, VII, IX, XI et XII.

Émile Zola, *Le Carnet de danse*, suivi de *Celle qui m'aime*, avec une postface d'Henri Mitterand (« L'Abyme du regard »), Mille et Une Nuits, 2004.

ÉTUDES SUR ZOLA ET LA NOUVELLE [1]

Viviane ALIX-LEBORGNE, « Zola, du roman populaire au naturalisme », in *Zola et le roman populaire, Le Rocambole (Bulletin des amis du roman populaire)*, nouvelle série, n° 19, été 2002, p. 53-67.

David BAGULEY, « Narcisse conteur : sur les contes de fées de Zola », *Revue de l'université d'Ottawa*, vol. 48, n° 4, octobre-décembre 1978, p. 382-397.

W.T. BANDY, « Trois études baudelairiennes. III. Zola imitateur de Baudelaire », *Revue d'histoire littéraire de la France*, avril-juin 1953, p. 210-212.

Colette BECKER, *Les Apprentissages de Zola*, PUF, 1993.

–, « Féerie et fantaisie dans les *Contes à Ninon* », in *La Fantaisie post-romantique*, Jean-Louis Cabanès et Jean-Pierre Saïdah (dir.), Toulouse, Presses universitaires du Mirail, 2003, p. 329-341.

André BELLATORE, « Analyse d'un conte de Zola : *Celle qui m'aime* », *Les Cahiers naturalistes*, n° 47, 1974, p. 88-97.

Roger BELLET, *Presse et journalisme sous le second Empire*, Armand Colin, « Kiosque », 1967.

Chantal BERTRAND-JENNINGS, *L'Éros et la femme chez Zola. De la chute au paradis retrouvé*, Klincksieck, 1977.

Sarah CAPITANIO, « Les voix qui content », *AUMLA (Journal of Australasian Universities Language and Literature Association)*, n° 91, mai 1999, p. 53-66.

Marie COUILLARD, « La "fille-fleur" dans les *Contes à Ninon* et *Les Rougon-Macquart* », *Revue de l'université d'Ottawa*, vol. 48, n° 4, octobre-décembre 1978, p. 398-406.

Charles DÉDÉYAN, « Zola conteur et nouvelliste », in *Beiträge zur vergleichenden Literaturgeschichte. Festschrift für Kurt Wais*, Éd. Johannes Hösle et Wolfgang Eitel, Tübingen, Niemeyer, 1972, p. 253-263.

Marcel GIRARD, « Situation d'Émile Zola », *Revue des sciences humaines*, avril-juin 1952, p. 137-156.

Georges GRUAU, « En marge de *Thérèse Raquin* », *Bulletin de la Société littéraire des amis d'Émile Zola*, n° 24, 1938, p. 18-22.

---

1. Les titres qui suivent concernent essentiellement les nouvelles publiées dans ce volume ; le lecteur trouvera dans notre édition des *Contes et nouvelles (1875-1899)*, GF-Flammarion, 2008, d'autres références, portant sur les nouvelles de Zola plus tardives.

Sophie GUERMÈS, « Une épopée burlesque et triste. Lecture des *Repoussoirs* », *Les Cahiers naturalistes*, n° 71, 1997, p. 191-202.

Frederic William John HEMMINGS, « Zola's apprenticeship to journalism (1865-1870) », *Publications of the Modern Language Association of America*, Baltimore, LXXI, juin 1956, p. 340-354.

–, « Les sources d'inspiration de Zola conteur », *Les Cahiers naturalistes*, n° 24-25, 1963, p. 29-45.

John LAPP, *Les Racines du naturalisme. Zola avant Les Rougon-Macquart*, Bordas, « Études », 1972 (1re édition en anglais, au Presses de l'université de Toronto, en 1964), notamment le chapitre I, « Zola conteur », p. 7-47.

Robert LETHBRIDGE, « L'accueil critique des premières œuvres de Zola (1864-1869) », *Les Cahiers naturalistes*, n° 53, 1979, p. 124-131.

François MAROTIN, « *Le Petit Journal* et la femme en 1865 », in *La Femme au XIXe siècle. Littérature et idéologie*, éd. R. Bellet, Lyon, Presses universitaires de Lyon, 1978, p. 97-112. (Travaux du Centre d'études « Littérature et idéologies au XIXe siècle » de l'université de Lyon II.)

Henri MITTERAND, *Zola journaliste*, Armand Colin, « Kiosque », 1962.

Henri MITTERAND et Halina SUWALA, *Émile Zola journaliste. Bibliographie chronologique et analytique*, t. I : *1859-1881*, Les Belles Lettres, 1968.

François-Marie MOURAD, « Zola et le romantisme », *L'École des lettres*, numéro spécial : *Aspects du romantisme*, n° 12-14, 2004, p. 113-126.

Jacques NOIRAY, « Zola lecteur de Musset » in *Musset, Premières poésies, Poésies nouvelles*, textes réunis par Pierre Brunel et Michel Crouzet, Actes de la journée d'étude organisée par l'École doctorale de Paris-Sorbonne, 18 novembre 1995, Éditions interuniversitaires, p. 169-186.

Robert RICATTE, « Zola conteur », *Europe*, n° 468-469, avril-mai 1968, p. 209-217.

Roger RIPOLL, « Le symbolisme végétal dans *La Faute de l'abbé Mouret* », *Les Cahiers naturalistes*, n° 31, 1966, p. 11-22.

Halina SUWALA, « Zola disciple de Michelet », *Les Cahiers de Varsovie*, n° 2, 1973, p. 13-31.

–, *Naissance d'une doctrine. Formation des idées littéraires et esthétiques de Zola* (1859-1865), Wydawnictwa Uniwersytetu Warszawskiego, Varsovie, 1976.

Marie-Ève THÉRENTY, *La Littérature au quotidien. Poétiques journalistiques au XIXᵉ siècle*, Seuil, « Poétique », 2007.

Rodolphe WALTER, « Zola et ses amis à Bennecourt (1866) », *Les Cahiers naturalistes*, nº 17, 1961, p. 19-35.

Henry G. WEINBERG, « Some observation on the early development of Zola's style », *The Romanic Review*, LXII, nº 4, décembre 1971, p. 283-288.

Friedrich WOLFZETTEL, « Les *Contes à Ninon*, ou le problème de la légitimité du romantisme », *Les Cahiers naturalistes*, nº 62, 1988, p. 183-198.

TABLE

CONTES ET NOUVELLES
(1864-1874)

Composition et mise en page

N° d'édition : L.01EHPN000149.C002
Dépôt légal : février 2008

Imprimé en Espagne par Novoprint (Barcelone)